小窗幽記

第二冊

〔明〕陳繼儒 著
崇賢書院 釋譯

北京聯合出版公司

承上冊

原文 **褻狎易契，日流於放蕩；莊厲難親，日進於規矩。**

譯文 輕慢猥褻的人容易接近，交往時間長了自己也會變得放肆；莊重嚴厲的人不容易親近，交往的日子長了自己就會越來越守規矩。

原文 **甜苦備嘗好丟手，世味渾如嚼蠟；生死事大急回頭，年光疾於跳丸。**

譯文 酸甜苦辣都嘗一下，纔好放手，世間百味簡直如同嚼蠟；關涉生死的事情很大，要趕緊回頭，時光飛逝就像拋出去的彈丸。

原文 **若富貴，由我力取，則造物無權；若毀譽，隨人腳跟，則讒夫得志。**

譯文 倘若富貴是通過努力就可以獲得的，那麼造物主就沒有什麼權力了；倘若詆毀和美譽是跟着人們的腳跟而傳播的，那麼讒言就會得逞了。

原文 **清事不可著跡。若衣冠必求奇古，器用必求精良，飲食必求異巧，此乃清中之濁，吾以爲清事之一蠹。**

譯文 清雅之事不能露出痕跡。如果衣服帽子必須要追求奇特的古裝，用器必須追求精良，飲食一定要追求奇異，這就是清中之濁，看似高雅，實則低俗，在我看來這是對清雅的毀壞。

原文 **吾之一身，常有少不同壯，壯不同老；吾之身後，焉有子能肖父，孫能肖祖？如此期，必屬妄想，所可盡者，惟留好樣與兒孫而已。**

譯文 我這一生中，常常會出現少年與壯年不同，壯年與老年不同的事；在我身後，又哪裏有孩子像父親，孫子像祖父的？如果一定要期望這些，那必定是屬於妄想，我們可以盡力去做的，衹是給兒孫們留個好榜樣罷了。

原文 **若想錢，而錢來，何故不想？若愁米，而米至，人固當愁。曉起依舊貧窮，夜來徒多煩惱。**

譯文 如果真的是想錢了，錢就會來，那麼爲什麼不想呢？假若真的是爲米發愁，米就會來，那麼人原本就應該發愁。可是事實遠非如此，早上起來依舊貧窮，夜裏也衹是徒然增加煩惱罷了。

原文 **半窗一几，遠興閑思，天地何其寥闊也！清晨端起，亭午高眠，胸襟何其洗滌也！**

譯文 半窗翠山，一幾煙嵐，使人意興盎然，產生無限遐思，天地是多麼的廣闊啊！早晨端坐起床，中午睡上一覺，胸襟是多麼澄淨啊！就像洗滌過一樣。

原文 **行合道義，不卜自吉；行悖道義，縱卜亦凶。人當自卜，不必問卜。**

譯文 行爲符合道義，不占卜就知道吉祥；行爲違背道義，縱然占卜，也一樣凶險。人應該以行爲自卜，而不必尋求他人占卜。

原文 **奔走於權幸之門，自視不勝其榮，人竊以爲辱；經營於利名之場，操心不勝其苦，己反以爲樂。**

譯文 出入奔走於權勢之門，自認爲非常榮幸，別人私下認爲是恥辱；在名利場中經營，非常操心，承受不住其中辛苦，自己反而樂在其中。

原文 **宇宙以來有治世法，有傲世法，有維世法，有出世法，有垂世法。唐虞垂衣，商周秉鉞，是謂治世；巢父洗耳，裘公瞋目，是謂傲世；首陽輕周，桐江重漢，是謂維世；青牛度關，白鶴翔雲，是謂出世；若乃魯儒一人，鄒傳七篇，始謂垂世。**

譯文 人世間自古就有治世之法，有傲然處世之法，有維繫俗世之法，有

出世之法，有垂於後世之法。唐堯、虞舜以道德垂世，商朝和周朝以禮樂治理國家，這是治世；巢父洗耳，裘公怒視延陵季子，這是傲世；隱居首陽山的伯夷、叔齊輕視周朝，隱居桐江的嚴光拒不受官，這是維世；老子騎青牛西遊出關，丁令威化爲仙鶴飛翔於雲間，這是出世；而像魯國的巨儒孔子、寫下七篇傳世之作的孟子，這是垂世。

原文 **書室中修行法：心閑手懶，則觀法帖，以其可逐字放置也；手閑心懶，則治迂事，以其可作可止也；心手俱閑，則寫字作詩文，以其可以兼濟也；心手俱懶，則坐睡，以其不強役於神也；心不甚定，宜看詩及雜短故事，以其易於見意不滯於久也；心閑無事，宜看長篇文字，或經注，或史傳，或古人文集，此又甚宜於風雨之際及寒夜也。又曰：「手冗心閑則思，心冗手閑則臥，心手俱閑，則著作書字，心手俱冗，則思早畢其事，以寧吾神。」**

譯文 書房中修養性情的方法：心閑手懶之時，就觀察書帖，因爲它是逐字放置的；手閑心懶之時，就做一些不着急的事，因爲其可以做也可以停；心手都閑的時候，就寫詩作文，因爲它可以心、手並用；心手都懶的時候，

就坐着睡覺，因爲這樣可以不壓迫精神；心不是很安定的時候，適合看詩歌以及短篇故事，因爲它們容易瞭解而不至於滯留太久；心閑着沒事的時候，適合看看長篇的書籍，或者經書作注，或者史傳，或者古人的文集，這又特別適合在風雨天或寒夜。也有人說：「手忙心閑就思考，心忙手閑就躺下休息，心手都閑就著書寫字，心手都忙就思考怎樣早些結束此事，以使我的心神安寧。」

原文　**片時清暢，即享片時；半景幽雅，即娛半景；不必更起姑待之心。**

譯文　有片刻清靜暢快，就享受片刻；有半點景色幽靜雅致，就愉悅這半點景色；不必想着姑且等待。

原文　**一室經行，賢於九衢奔走；六時禮佛，清於五夜朝天。**

譯文　在一室內來回走，勝過在大道上奔走；晝夜都在禮佛，勝過整夜朝拜上天。

原文　**會意不求多，數幅晴光摩詰畫；知心能有幾，百篇野趣少陵詩。**

譯文　能夠使人會意的東西不求多，幾幅晴朗明媚的王維山水畫就夠了；知心朋友能有幾個，百篇富含野趣的杜甫詩就行了。

原文　**醇醪百斛，不如一味太和之湯；良藥千包，不如一服清涼之散。**

譯文　百斛香醇的美酒，也比不上一味太和湯；千包良藥，也比不上一副清涼散。

原文　**閑暇時，取古人快意文章，朗朗讀之，則心神超逸，鬚眉開張。**

譯文　閑暇之時，拿來古人愉悅輕快的文章，朗朗而讀，心神就會超然安逸，喜笑顏開。

原文　**修淨土者，自淨其心，方寸居然蓮界；學禪坐者，達禪之理，大地盡作蒲團。**

譯文　修習淨土宗的人，必須先使自己的內心潔淨，纔能身居蓮花極樂境界；學習禪宗打坐的人，衹要通曉禪理，大地也可以作爲蒲團。

原文　**衡門之下，有琴有書。載彈載詠，爰得我娛。豈無他好？樂是**

幽居。朝爲灌園，夕偃蓬廬。

譯文　簡陋的小屋下，有琴有書。一邊彈奏一邊歌唱，於是我得到樂趣。難道沒有別的愛好嗎？樂趣是幽居。早上澆灌花園，晚上躺在草廬之中。

原文　**因葺舊廬，疏渠引泉，周以花木，日哦其間；故人過逢，瀹茗弈棋，杯酒淋浪，殆非塵中物也。**

譯文　於是修葺舊廬，疏導水渠，引來泉水，周圍種上花木，整日在其中吟詠；有故人從此經過，煮茶下棋，喝酒清談，在俗世中是得不到這種樂趣的。

原文　**逢人不說人間事，便是人間無事人。**

譯文　碰到什麼人都不說塵世間的事，這就是人世間的無事人。

原文　**閑居之趣，快活有五。不與交接，免拜送之禮，一也；終日可觀書鼓琴，二也；睡起隨意，無有拘礙，三也；不聞炎涼囂雜，四也；能課子耕讀，五也。**

譯文　閑居的樂趣有五種。不與外界交接應酬，免去了拜訪相送的繁縟禮節，這是其一；整天都可以看書彈琴，這是其二；睡覺起床隨心所欲，沒有拘束羈絆，這是其三；兩耳不聞世態炎涼喧囂雜念，這是其四；能夠督促孩子耕種讀書，這是其五。

原文　**雖無絲竹管弦之盛，一觴一詠，亦足以暢敘幽情。**

譯文　雖然沒有絲竹管弦各種樂器合奏那麼盛大的場面，一杯酒，一句詩，也足以暢談幽居之情韻。

原文　**獨臥林泉，曠然自適。無利無營，少思寡欲，修身出世法也。**

譯文　獨自躺臥在山林中、清泉旁，心胸曠達，安閑自適。不貪求名利，沒有雜念、欲望，這是修身出世的法則。

原文　**茅屋三間，木榻一枕，燒高香，啜苦茗，讀數行書，懶倦便高臥松梧之下，或科頭行吟。日常以苦茗代肉食，以松石代珍奇，以琴書代益友，以著述代功業，此亦樂事。**

譯文　三間茅草屋，一個木榻，焚燒上高香，喝點香茶，讀上幾行書，慵懶疲倦了就高臥在松樹、梧桐樹之下，或者取下帽子，一邊踱步一邊吟詩。日常中以苦茗代替肉食，以松石代替奇珠異寶，以琴書代替好友，以著書立說代替建立功業，這正是人生之樂事。

原文 挾懷樸素，不樂權榮；棲遲僻陋，忽略利名；葆守恬淡，希時安寧；晏然閑居，時撫瑤琴。

譯文 胸懷樸素，不喜歡富貴榮華；遊息在偏僻簡陋之所，忽視功名利祿；保守心靈的恬淡，希望能夠時時安享寧靜；安適地閑居，不時撫弄一下瑤琴。

原文 人生自古七十少，前除幼年後除老。中間光景不多時，又有陰晴與煩惱。到了中秋月倍明，到了清明花更好。花前月下得高歌，急須漫把金樽倒。世上財多賺不盡，朝裏官多做不了。官大錢多身轉勞，落得自家頭白早。請君細看眼前人，年年一分埋青草。草裏多多少少墳，一年一半無人掃。

譯文 自古以來活到七十歲的就很少，再除去前面的幼年，後面的老年。中間所剩下的時間已經不多了，但是人又有傷心快樂和煩惱憂愁的時候。到了中秋時節月亮分外明亮，到了清明時節花兒更漂亮。花前月下之時要放聲高歌，更需要金樽在手，開懷痛飲。世上的錢財很多，是賺不完的，朝廷裏官職太多，也是做不完的。官做得大，錢賺得多，反而會使自己心神勞累，到頭來衹落得頭髮早早就白了。請你仔細看看眼前的人，埋到長滿青草的黃土下的，每年都在增加。草地裏那麼多墳墓，一年一度的清明節有一半的墳墓沒人打掃。

原文 飢乃加餐，菜食美於珍味；倦然後睡，草蓐勝似重裀。

譯文 餓了就加餐，這時菜食比珍珠美；疲倦了就睡覺，這時草褥子比層層的棉褥還要舒服。

原文 流水相忘遊魚，游魚相忘流水，即此便是天機；太空不凝浮雲，浮雲不凝太空，何處別有佛性？

譯文 流水忘記了水中游動的魚兒，游動的魚兒也忘記了流水，這便是奧妙的天機；天空阻礙不了浮雲，浮雲也阻礙不了天空，哪裏還能有這佛性？

原文 丹山碧水之鄉，月澗雲龕之品，滌煩消渴，功誠不在芝術下。

譯文 茶葉生長在丹山碧水之鄉、月澗雲龕之間，消除煩惱，解除飢渴，功勞的確不在芝術之下。

原文 頗懷古人之風，愧無素屏之賜，則青山白雲，何在非我枕屏？

譯文 頗爲懷念古人的風度，羞愧沒有人以白色的屏障相贈，那麼青山白雲，哪裏不能作爲我的枕頭和屏障呢？

原文 **江山風月，本無常主，閑者便是主人。**

譯文 江山風月這樣的美景，原本就沒有固定不變的主人，閑適之人就是它的主人。

原文 **被衲持鉢，作髮僧行徑，以雞鳴當檀越，以枯管當筇杖，以飯顆當祇園，以巖雲野鶴當伴侶，以背錦奚奴當行腳頭陀，往探六六奇峰，三三曲水。**

譯文 身披衲，手執鉢，做出帶髮僧人的舉動，把雞鳴當成施主來訪，把枯管當成筇竹杖，把刻苦作詩當成在佛教聖地修行，把巖峰、閑雲、野鶴當成伴侶，把背負錦囊的奴僕當成行腳僧，去探索嵩山少林三十六峰、武夷山九曲之水。

原文 **入室許清風，對飲惟明月。**

譯文 來到室內就感到清風颯爽，能夠與我對飲的衹有明月。

原文 **山房置一鐘，每於清晨良宵之下，用以節歌，令人朝夕清心，動念和平。李禿謂：「有雜想，一擊遂忘；有愁思，一撞遂掃。」知音哉！**

譯文 在山居的房屋中設置一鐘，每天在清晨良宵的時候，敲擊打節，與歌相和，使人無論早晨還是晚上都能心清氣爽，心境平和。李禿說：「有雜念的時候，敲擊一下，雜念立刻就消失了；有愁思的時候，撞一下，愁思立刻就掃光了。」眞是知音啊！

原文 **潭澗之間，清流注瀉，千巖競秀，萬壑爭流，卻自胸無宿物，漱清流，令人濯濯清虛，日來非惟使人情開滌，可謂一往有深情。**

譯文 在小潭和石澗間，清澈的流水在不停地流淌，千座青巖競相爭秀，萬條峽谷爭着流淌，面對這樣的美景，心中沒有任何成見和俗念；用清泉漱口，使人感覺清爽虛空，白日到此不僅陶冶人的心靈，而且可以說是一到此地就有深情。

原文 **林泉之滸，風飄萬點，清露晨流，新桐初引，蕭然無事，閑掃落花，足散人懷。**

譯文 在山泉旁邊的樹林中，風一吹林間萬點花絮飄舞，晶瑩的露珠，清晨的溪流，剛剛發芽的梧桐樹，十分悠閑，無事可做的時候，閑逸地掃一下飄落的花瓣，也足以忘記煩惱。

原文 **浮雲出岫，絕壁天懸，日月清朗，不無微雲點綴。看雲飛軒軒霞舉，踞胡床與友人詠謔，不復滓穢太清。**

譯文 浮雲從山岫間飄出，懸崖峭壁好像是懸掛在那裏，日清月朗，但並非沒有幾多白雲相點綴。看白雲穿梭，朝霞上昇，坐在胡床上與友人一起吟詠戲謔，不可談論穢語，以免玷污了潔淨的美景。

原文 **山房之磬，雖非綠玉，沉明輕清之韻，盡可節清歌、洗俗耳。山居之樂，頗愜冷趣，煨落葉爲紅爐，況負暄於巖戶。土鼓催梅，荻灰暖地，雖潛凜以蕭索，見素柯之淩歲。同雲不流，舞雪如醉，野因曠而冷舒，山以靜而不晦。枯魚在懸，濁酒已注，朋徒我從，寒盟可固，不驚歲暮於天涯，即是挾纊於孤嶼。**

譯文 山居房舍中的磬，雖然不是綠玉，但是也具有沉明輕清之韻，盡可以爲清歌伴奏、清洗俗世的耳朵。山居的快樂，頗爲愜意，富有清冷的情趣，燃燒落葉取暖，或者在山巖洞口背着太陽舒適地曬太陽。土鼓聲催促着梅花快些開放，荻葉燃燒的灰燼溫暖着大地，雖然潛藏着凜冽、蕭寒，但是看

到大雪覆蓋着樹枝，也知道這一年快要結束了，春天快要來臨了。凝聚的雲霧好像不流動了，飛舞的雪花好像喝醉了，山野因爲空曠而更覺寒冷，大山因爲寧靜而更加昏暗。曬好的魚乾還懸掛着，美酒已經倒滿酒杯，朋輩相從，寒冷真的是很頑固，不覺間在天涯驚訝地發現這一年又要過去了，在這孤島上因爲得到了安慰而感到溫暖。

原文 **步障錦千層，氍毹紫萬疊，何似編葉成幃，聚茵爲褥？綠陰流影清入神，香氣氤氳徹人骨，坐來天地一時寬，閑放風流曉清福。**

譯文 千層錦繡織成的屏障，萬疊紫色毛綫織成的地毯，怎麼能與綠葉編製成的帷帳，綠茵鋪成的床褥相比呢？綠樹成蔭，斑斑流影，清涼之感沁人心脾，香氣彌漫，透徹入骨，坐在這裏，天地一時之間更爲寬廣，閑適放縱地徜徉其中，纔知道可以享受清淨之福。

原文 **送春而血淚滿腮，悲秋而紅顏慘目。**

譯文 告別春天使人傷心不已，淚流滿面，悲感秋色，淒涼蕭瑟，美麗的容顏也會變得淒慘蒼白。

原文 **翠羽欲流，碧雲爲颸。**

譯文 翠綠的羽毛，顏色鮮亮，就像是要流動的水，又像是飄揚的碧雲。

原文 **郊中野坐，固可班荊；徑裏閑談，最宜拂石。侵雲煙而獨冷，移開清嘯胡床；藉草木以成幽，撤去莊嚴蓮界。況乃枕琴夜奏，逸韻更揚；置局午敲，清聲甚遠；洵幽棲之勝事，野客之虛位也。**

譯文 在郊外山野閑坐，本來就可以與朋友暢叙舊情；在小徑中閑談，最適合拂去石頭上的灰塵而坐。雲煙侵入身體而感到有些涼，就移開胡床清嘯幾聲；借助草木而形成幽趣，就可以撤去莊嚴的佛境。況且還可以枕琴夜奏，飄逸的琴聲更顯悠揚；設置棋局下棋，棋子的聲音就像是中午的敲擊聲，聲音清脆，傳得更遠；這的確是幽居的樂事、山林野客的虛靜趣味。

原文 **飲酒不可認真，認真則大醉，大醉則神魂昏亂。在《書》爲沉湎，在《詩》爲童羖，在《禮》爲豢豕，在史爲狂藥。何如但取半酣，與風月爲侶？**

譯文 飲酒的時候不能太認真，認真就會喝得大醉，大醉就會使神魂混亂。在《尚書》稱爲沉湎，在《詩經》中稱爲童羖，在《禮記》中稱爲豢豕，在《晉書》裏稱爲狂藥。大醉怎麼能比得上半醉，與風月爲侶的快樂呢？

原文 **家鴛鴦湖濱，饒蒹葭鳧鷺，水月淡蕩之觀。客嘯漁歌，風帆煙艇，虛無出沒，半落几上。呼野衲而泛斜陽，無過此矣！**

譯文 居住在鴛鴦湖之濱，蒹葭、鳧鳥、鷺鳥都很豐饒，月色灑在水面上，微波蕩漾，景觀十分優美。客人長嘯，漁歌互答，風吹動船帆，水煙籠罩小舟，虛虛實實，縹緲迷茫，差點落在案几上。於是呼喚野居的名僧一起泛舟於斜陽之中，沒有什麼比這更爲美妙的了！

原文 **雨後捲簾看霽色，卻疑苔影上花來。**

譯文 雨後捲開簾子看天氣初晴之景色，簾外一片青山碧水，不由得懷疑是不是翠綠的苔蘚的影子映到了花上。

原文 **月夜焚香，古桐三弄，便覺萬慮都忘，妄想盡絕。試看香是何味？煙是何色？穿窗之白是何影？指下之餘是何音？恬然樂之而悠然忘之者，是何趣？不可思量處，是何境？**

譯文 在月明之夜焚上茗香，彈奏幾首琴曲，就會覺得一切的憂愁都忘記了，一切妄想都沒有了。試着體味一下香是什麼味道？煙是什麼顏色？穿過窗戶的白色影子是什麼？手指下的餘音是什麼音？恬靜喜悅而又悠然忘記的是什麼樂趣？不能思量的地方，是什麼境界？

原文 **貝葉之歌無礙，蓮花之心不染。**

譯文 寫在貝葉上的佛教經文流暢無礙，有如蓮花之心的佛境不受任何污染。

原文 **河邊共指星爲客，花裏空瞻月是卿。**

譯文 在河邊共同指着星星，視星星爲客人，花叢中抬頭望月，視月亮爲客卿。

原文 **人之交友，不出「趣味」兩字，有以「趣」勝者，有以「味」勝者。然寧饒於「味」，而無饒於「趣」。**

譯文 人結交朋友，不外乎「趣味」這兩個字，有的人以「趣」爲重，有的人以「味」爲重。但是寧可「味」豐饒一些，不可「趣」豐饒一些。

原文 **守恬淡以養道，處卑下以養德，去嗔怒以養性，薄滋味以養氣。**

譯文 安守恬淡以養道，處境卑微以養德，去除嗔怒以養性，淡薄滋味以養氣。

原文 **吾本薄福人，宜行惜福事；吾本薄德人，宜行厚德事。**

譯文 我原本就是福氣淡薄之人，應該做珍惜福分的事；我原本就是德行淺薄的人，應該多做積善厚德的事。

原文 **祗宜於著意處寫意，不可向真景處點景。**

譯文 祗應該對着想象中的世界繪畫寫意，不可以對着眞實的景色描畫景色。

原文 **知天地皆逆旅，不必更求順境；視眾生皆眷屬，所以轉成冤家。**

譯文 知悉人生的旅途都是逆行而上的，沒有必要苛求順境；看待衆人都是眷屬，反而會成爲冤家。

原文 **祗愁名字有人知，澗邊幽草；若問清盟誰可託，沙上閑鷗。**

山童率草木之性，與鶴同眠；奚奴領歌詠之情，檢韻而至。閉戶讀書，絕勝入山修道；逢人說法，全輸兀坐捫心。

譯文 祗擔心自己的名字有人知道，其實祗有澗邊的小草知道；倘若問清雅之盟可以託付給誰，那就是沙灘上的閑鷗。山童都習得草木的性情，與仙鶴一起睡覺；奴僕領會歌詠之情，踩着韻律走來。關閉門戶在家讀書，絕對勝過入山修道；碰到人便對人宣講教義，根本比不上獨坐靜修，捫心自省。

原文 **硯田登大有，雖千倉珠粟，不輸兩稅之徵；文錦運機杼，縱萬軸龍文，不犯九重之禁。**

譯文 在硯臺筆墨這塊田地裏耕耘大有所獲，雖然擁有千倉的珠寶、米粟，卻不用繳納夏稅和秋稅；錦繡般的文章在匠心這個機杼上織紡，縱使有上萬軸的帶有龍紋的錦繡布匹，也不觸犯帝王的禁令。

原文 **步明月於天衢，覽錦雲於江閣。**

譯文 迎着明月在高山的小路上行走，在江上樓閣遍覽錦綉般的雲彩。

原文 **幽人清課，詎但啜茗焚香；雅士高盟，不在題詩揮翰。**

譯文 幽居之人做着清雅之事，不僅僅是喝茶焚香；清雅之士的雅聚，也不僅僅是題詩作畫。

原文 **以養花之情自養，則風情日閑；以調鶴之性自調，則真性自美。**

高山明月行

譯文　倘若以養花的閑情自我修養，那麼心態情懷就會日漸閑適；如果以馴養仙鶴的性情來自我調性，那麼眞性情自然會變美。

原文　**熱湯如沸，茶不勝酒；幽韻如雲，酒不勝茶。茶類隱，酒類俠。酒固道廣，茶亦德素。**

譯文　熱湯如同沸水，所以茶比不上酒；幽靜之韻如同白雲，所以酒比不上茶。茶像隱士，而酒像俠客。酒的功效固然很大，但茶的德性也很素雅淡薄。

原文　**老去自覺萬緣都盡，那管人是人非；春來倘有一事關心，衹在花開花謝。**

譯文　老年的時候自然會覺得萬種塵緣都了斷了，哪還管什麼人世間的是是非非；春天來了，如果還有一事要關心的話，那就是花開花謝。

原文　**是非場裏，出入逍遙；順逆境中，縱橫自在。竹密何妨水過，山高不礙雲飛。**

譯文　身在充滿是非的世間，出入都可以逍遙；不管是順境還是逆境，都可以率情自在，任意縱橫。竹林雖密也無法防止水流的經過，蒼山雖高也無法阻礙白雲的飄飛。

原文　**口中不設雌黃，眉端不掛煩惱，可稱煙火神仙；隨意而栽花柳，適性以養禽魚，此是山林經濟。**

譯文　口中不隨便說出議論之語，眉間不掛着煩惱，可以稱得上是食人間煙火的神仙；聽隨心意栽種鮮花、柳樹，按照性情喂養禽鳥、魚兒，這正是在山林中經邦濟世的行爲。

原文　**午睡醒來，頽然自廢，身世庶幾渾忘；晚炊既收，寂然無營，煙火聽其更舉。**

譯文　中午睡覺醒來，精神萎靡不振，就連自己的身世也差不多要忘了；晚上炊煙熄滅吃過晚飯後，寂寞無事可做，就再起炊煙煮茶淸談。

原文　**寵辱不驚，閑看庭前花開花落；去留無意，漫隨天外雲捲雲舒。斗室中萬慮都捐，說甚畫棟飛雲，珠簾捲雨；三杯後一真自得，誰知素弦橫月，短笛吟風。**

譯文　無論是受寵還是受辱都不會驚慌，閑適地觀看庭院前的花開花落；無論去留都不會在意，任意地隨着天空的白雲舒捲自如。居於斗室之中，什麼雜念都沒有了，還用說什麼畫棟飛雲，珠簾捲雨；三杯酒之後一切都純眞自得，還有誰知道素弦橫月，短笛吟風。

原文 **細雨閑開卷，微風獨弄琴。**

譯文 在連綿細雨中閑適地打開書卷，在和煦的微風中獨自撫弄琴弦。

原文 **水流任意景常靜，花落雖頻心自閑。**

譯文 任憑水流隨意流動，景色依然很恬靜，儘管花兒頻繁飄落，心中仍舊可以很安閑。

原文 **殘曛供白醉，傲他附熱之蛾；一枕餘黑甜，輸卻分香之蝶。閑爲水竹雲山主，靜得風花雪月權。**

譯文 面對落日餘光之美景飲酒至醉，傲視那些見到光和熱就攀附的飛蛾；白天躺在枕上酣睡，不理會那些分取花香的蝴蝶。安閑的時候就做山水竹雲的主人，靜謐之時就獨攬風花雪月的觀賞之權。

原文 **半幅花箋入手，剪裁就臘雪春冰；一條竹杖隨身，收拾盡燕雲楚水。**

譯文 手中有半幅精美的花箋，可以剪裁出臘冬之雪、初春之冰；隨身攜帶一根竹杖，就可以覽盡燕山之雲、楚江之水。

原文 **何地非真境？何物非真機？芳園半畝，便是舊金谷；流水一灣，便是小桃源。林中野鳥數聲，便是一部清鼓吹；溪上閑雲幾片，便是一幅真畫圖。**

譯文 什麼地方不是眞正的境界？什麼東西不是眞正富有玄機？半畝芬芳的花園，就是古時的金谷園；一彎幽幽的流水，就是縮小的桃花源。園林中幾聲野鳥啼鳴之聲，便是一部清美的鼓吹之曲；溪流上的幾片閑雲，就是一幅眞正的圖畫。

原文 **人在病中，百念灰冷，雖有富貴，欲享不可，反羡貧賤而健者。是故人能於無事時常作病想。一切名利之心，自然掃去。**

譯文 人在病了的時候，往往會萬念俱灰，雖有富貴榮華，卻不能享受，反而羡慕那些貧賤的健康之人。因此人在沒病的時候能夠有生病之時的想法。一切爭名奪利之心，自然都會消除。

原文 **竹影入簾，蕉陰蔭檻，故蒲團一臥，不知身在冰壺鮫室。**

譯文 窗外的青竹之影映入簾內，芭蕉樹的陰影遮蔽了門檻，此時坐在蒲團上打坐，內心如同處在冰壺鮫室中一樣清醒透徹。

原文 **萬壑松濤，喬柯飛穎，風來鼓颭，謖謖有秋江八月聲，迢遞幽巖之下，披襟當之，不知是羲皇上人。**

譯文 高低重疊的山谷中傳來陣陣松濤，高枝的末端飛伸，八月的秋江傳來謖謖的風聲，遙遠的幽巖之下，有人披着衣襟，迎風而立，不知是不是羲皇上人。

原文 **霜降木落時，入疏林深處，坐樹根上，飄飄葉點衣袖，而野鳥從梢飛來窺人。荒涼之地，殊有清曠之致。**

譯文 秋霜降臨樹葉搖落之時，來到稀疏的樹林深處，坐在樹根上，飄落的片片樹葉點綴在衣袖間，野鳥從樹梢上飛出來窺探人。這荒涼的境地，很少有清曠的景致。

原文 **明窗之下，羅列圖史琴尊以自娛。有興則泛小舟，吟嘯覽古於江山之間。渚茶野釀，足以消憂；蒓鱸稻蟹，足以適口。又多高僧隱士，佛廟絕勝。家有園林，珍花奇石，曲沼高臺，魚鳥流連，不覺日暮。**

譯文 明淨的窗戶下，羅列着圖畫、史書、琴瑟、酒杯，用以自娛。有興致的時候就泛舟於湖上，在江山之間低吟長嘯，遍覽古之景勝。小洲上生長的茶、山野人家釀的酒，足以消除憂愁；蒓菜、鱸魚、稻米、螃蟹，這些足夠我享用了。又有很多得道高僧與隱士，佛寺道觀的景致都很絕妙。家中有花園、樹林、珍奇的花草、幽石、彎彎曲曲的水澤池沼，魚和鳥都終日留戀不捨，不知不覺間夜晚就降臨了。

原文 **山中蒔花種草，足以自娛，而地樸人荒，泉石都無，絲竹絕響，奇士雅客亦不復過，未免寂寞度日。然泉石以水竹代，絲竹以鶯舌蛙吹代，奇士雅客以蠹簡代，亦略相當。**

譯文 在山中栽種花草，足以自娛自樂，而土地貧瘠，人煙荒蕪，沒有山泉、幽石，沒有絲竹之樂，就連奇士、雅客也不會從此經過，難免要在寂寞中度日。然而泉石可以用竹林來代替，絲竹之聲可以用鶯啼蛙噪來代替，奇士、雅客可以用被蠹蟲毀壞的古代典籍來代替，這也大致相當吧。

原文 **閑中覓伴書爲上，身外無求睡最安。**

譯文 閑暇之時以書爲伴最好，身外無欲無求的時候睡覺最爲安穩。

原文 **栽花種竹，未必果出閑人；對酒當歌，難道便稱俠士？**

譯文 栽種花草、竹子，不一定非得由閑暇之人來做；對酒當歌，難道就稱得上俠義之士嗎？

原文 **虛堂留燭，抄書尚存老眼；有客到門，揮麈但說青山。**

譯文 虛靜的廳堂内還有殘留的蠟燭，燈下抄書，尚且還存有一雙老眼；有客人臨門，揮動麈尾拂塵，衹說青山美景。

原文 **帝子之望巫陽，遠山過雨；王孫之別南浦，芳草連天。**

譯文 楚襄王遙望巫山之陽，望見遠處的山飄過的雨；隱士在南浦送別，看到芳草連天，一片美景。

原文 **室距桃源，晨夕恒滋蘭茝；門開杜徑，往來惟有羊裘。**

譯文 居住之室臨近桃源，無論早晨還是夜晚都能沉浸在蘭花、荷花的香氣之中；門開正對着杜甫的花徑，交往的衹有像羊裘這樣的隱士。

原文 **枕長林而披史，松子爲餐；入豐草以投閑，蒲根可服。**

譯文 隱居在長林之中，打開歷代史書，可以松子爲餐；來到豐茂的草叢中，將閑暇投之其中，有蒲根可以服用。

原文 **一泓溪水柳分開，盡道清虛攪破；三月林光花帶去，莫言香分消殘。**

譯文 一泓清澈的溪水被柳樹分開，大家都說一片清虛被打破了；三月林中的春光都被盛開的鮮花帶走了，不要感嘆鮮花的凋謝。

原文 **荆扉晝掩，閑庭宴然，行雲流水襟懷；隱不違親，貞不絶俗，太山喬嶽氣象。**

譯文 柴扉即使在白晝也關着，閑適的庭院一片安定，這是猶如行雲流水一樣的襟懷；隱居而不避諱雙親，貞潔而不脫離世俗，與泰山、喬嶽的氣象一樣。

原文 **窗前獨榻頻移，爲親夜月；壁上一琴常掛，時拂天風。**

譯文 窗前的單張睡榻頻繁地移動，衹是爲了親近夜晚的明月；牆壁上常常掛着一張琴，天空的風兒不時前來撫弄一下。

原文 **蕭齋香爐，書史酒器俱捐；北窗石枕，松風茶鐺將沸。**

譯文 書齋中擺放着香爐，書史、酒器都被扔在了一邊；北窗下擺放着石枕，茶水將沸，茶爐中聲如松風。

原文 **明月可人，清風披坐，班荆問水，天涯韻士高人，下箸佐觴，品外澗毛溪蔌，主之榮也。高軒寒戶，肥馬嘶門，命酒呼茶，聲勢驚神震鬼，疊筵累几，珍奇罄地窮天，客之辱也。**

譯文 明月皎潔使人心情舒暢，迎着清風，披衣而坐，衹談論一些與世俗不相干的事情，來往的都是隱居的高人，佐助飲酒的是沒有等級的來自山澗中的水藻、蔬菜，這些正是主人的榮耀。倘若寒戶前都是高敞的軒車，不時有肥馬在門前嘶鳴，斟滿美酒，奉上茗茶，氣勢之浩大，甚至震驚了神仙、鬼神，酒宴案几，珍奇美味，罄盡天地之有，這反倒是客人的恥辱。

原文 **賀函伯坐徑山竹裏，鬚眉皆碧；王長公龕杜鵑樓下，雲母都紅。**

譯文 賀函伯在徑山竹林之中隱居打坐，眉毛、胡鬚都變綠了；王長公把杜鵑關在樓下的神龕之中，神龕中的雲母都變紅了。

原文 **坐茂樹以終日，濯清流以自潔。採於山，美可茹；釣於水，鮮可食。**

譯文 終日坐在茂盛的樹木之下，用清澈的流水濯洗以保持自我清潔。山中的野果野菜，十分醇美可口；水中的魚蝦，鮮美可食。

原文 **年年落第，春風徒泣於遷鶯；處處羈遊，夜雨空悲於斷雁。金壺霏潤，瑤管春容。**

譯文 科考年年落榜，春風都爲科考仕子的絶望而徒然哭泣；處處都是羈旅之客，夜雨似乎也在爲家書的斷絶而空悲。金壺中飄出美酒的醇香，瑤管中傳出悠揚舒緩的音樂。

原文 **菜甲初長，過於酥酪。寒雨之夕，呼童摘取，佐酒夜談，嗅其清馥之氣，可滌胸中柴棘，何必純灰三斛！**

譯文 菜芽剛剛長出來的時候，比酥酪還要美味。寒雨的夜晚，呼喚僕童前去摘取，用以佐酒清談，聞到它的清馥之氣，就可以滌去胸中的庸俗之氣，何必非要三斛香灰呢！

原文 **暖風春座酒，細雨夜窗棋。**

譯文 沐浴在春天的暖風中，閑座飲酒；夜晚下起了綿綿細雨，坐在屋內的窗下下棋。

原文 **秋冬之交，夜靜獨坐，每聞風雨瀟瀟，既淒然可愁，亦復悠然**

可喜。至酒醒燈昏之際，尤難爲懷。

譯文 秋冬交替的時節，夜晚獨自靜坐，每當聽到瀟瀟的風雨聲，既感到淒冷憂愁，又感覺悠然可喜。等到酒醒時分，燈火昏暗之際，尤爲讓人難以忘懷。

原文 **長亭煙柳，白髮猶勞，奔走可憐名利客。野店溪雲，紅塵不到，逍遙時有牧樵人。天之賦命實同，人之自取則異。**

譯文 長亭外一片煙柳景色，已是白髮暮年還要勞累，是個可憐的奔走於名利場中的人。山野小店，溪水流雲，塵世紅塵不會到達，牧羊、砍柴之人十分逍遙自在。上天賦予人們的命運原本是一樣的，衹是個人的取舍不同。

原文 **富貴大是能俗人之物，使吾輩當之，自可不俗；然有此不俗胸襟，自可不富貴矣。**

譯文 富貴眞是能使人變得庸俗的東西，倘若使我輩得到了富貴，自然無法逃脫世俗；但是擁有這樣不俗的胸襟的人，自然不會富貴。

原文 **風起思蒓，張季鷹之胸懷落落；春回到柳，陶淵明之興致翩翩。然此二人，薄宦投簪，吾猶嗟其太晚。**

譯文 秋風揚起的時候就會思念故鄉的蒓菜，張季鷹具有磊落胸懷；春回大地，柳樹復甦，陶淵明的興致高昂。但是這兩個人，都是做過小官後纔辭官歸隱的，我還是嗟嘆他們隱逸得太晚。

原文 **黃花紅樹，春不如秋；白雪青松，冬亦勝夏。春夏園林，秋冬山谷，一心無累，四季良辰。**

譯文 秋有黃菊、紅楓，以此而言春不如秋；冬有白雪、青松，以此而言冬又勝過夏。春夏有美麗的園林，秋冬有空曠的山谷，倘若能夠心無牽累，那麼四季都是良辰。

原文 **聽牧唱樵歌，洗盡五年塵土腸胃；奏繁弦急管，何如一派山水清音？**

譯文 聽牧童、樵夫唱歌，可以洗盡多年爲塵世所污的腸胃；演奏繁雜急促的管弦之樂，怎麼能和這一派山水間的自然清音相比呢？

原文 **孑然一身，蕭然四壁，有識者當此，雖未免以冷淡成愁，斷不以寂寞生悔。**

譯文 獨自一人，四壁空空，有識之士遇到這種境遇，雖然未免會因爲冷淡而生出愁悶，但是斷然不會因爲寂寞而生出懊悔。

原文 **瓦枕石榻，得趣處下界有仙；木食草衣，隨緣時西方無佛。**

譯文 以磚瓦爲枕頭，以石頭爲床榻，能夠得到趣味，便是人世間的神仙；以果子爲食，以茅草爲衣，一切隨緣，便是西方極樂世界的無量佛陀。

原文 **當樂境而不能享者，畢竟是薄福之人；當苦境而反覺甘者，方纔是真修之士。**

譯文 身處安樂的環境卻不能享受的人，畢竟是個福氣淺薄的人；身處困苦之境反而覺得甘甜的人，這纔是眞正修行的人。

原文 **半輪新月數竿竹，千卷藏書一盞茶。**

譯文 半輪新月，幾棵翠竹，千卷古書，一杯茶，這對我而言已足夠了。

原文 **偶向水村江郭，放不繫之舟；還從沙岸草橋，吹無孔之笛。**

譯文 偶爾在江水旁邊的村郭，駕駛不繫之舟，讓它順水漂流；在沙岸草橋邊，吹奏用蘆葦做成的無孔笛子。

原文 **物情以常無事爲歡顏，世態以善託故爲巧術。**

譯文 事物之情，常常以沒有事情爲快樂；世間之態，常常以善於推託爲

巧術。

原文 **善救時，若和風之消酷暑；能脫俗，似淡月之映輕雲。**

譯文 善於匡救時弊的人，就好像和煦的清風一樣能夠消除夏日的酷熱；能夠脫俗的人，就好像淡淡的月光映照着輕雲。

原文 **人生斯世，不能讀盡天下秘書靈笈。有目而昧，有口而啞，有耳而聾，而面上三斗俗塵，何時掃去？則韻之一字，其世人對癥之藥乎？雖然，今世且有焚香啜茗，清涼在口，塵俗在心，儼然自附於韻，亦何異三家村老嫗，動口念阿彌，便云昇天成佛也。集韻第七。**

譯文 人生在世，不能把天下的書都讀完。長着眼睛卻看不見，有口卻說不出，有耳朵卻聽不到，什麼時候能夠掃去臉上的三斗厚的塵土呢？「韻」這個字是不是世人的對癥之藥呢？即使是這樣，現在的人焚香品茶，口清涼了，心還是俗的，身上儼然有韻味，又和村裏的老婦沒有什麼不同，動口念佛語，立刻就昇天成佛了。因此編撰了第七卷《韻》。

原文 **陳慥家蓄數姬，每日晚藏花一枝，使諸姬射覆，中者留宿，時號「花媒」。**

譯文 陳慥家裏養了好幾個美姬，每天晚上藏一枝花讓她們猜，猜到的就留下侍宿，時人稱之爲「花媒」。

原文 **清齋幽閉，時時暮雨打梨花；冷句忽來，字字秋風吹木葉。**

清齋幽閉

譯文　清齋幽靜地閉着，傍晚時時傳來雨打梨花的聲音；忽然作出淒冷的詩句，每個字都如秋風吹樹葉般淒涼。

原文　**多方分別，是非之竇易開；一味圓融，人我之見不立。**

譯文　如果多方見解不同，是非就由此產生；一味圓融的話，就聽不到不同的意見。

原文　**春雲宜山，夏雲宜樹，秋雲宜水，冬雲宜野。**

譯文　春天的雲宜飄蕩在山上，夏天的雲宜飄在樹梢上，秋天的雲宜飄在水上，冬天的雲宜飄在田野裏。

原文　**清疏暢快，月色最稱風光；瀟灑風流，花情何如柳態。**

譯文　晴朗稀疏又最讓人暢快的非月色莫屬；要說瀟灑風流，花的神情又怎能比得上柳的姿態。

原文　**春夜小窗兀坐，月上木蘭；有骨凌冰，懷人如玉。因想「雪滿山中高士臥，月明林下美人來」語，此際光景頗似。**

譯文　春天的夜晚，獨自坐在小窗前，月亮爬上了木蘭樹梢；月光下的花瓣如同冰肌玉骨一般，懷念起如玉的美人。不禁想起「雪滿山中高士臥，月明林下美人來」的詩句，與此時此刻的情景非常相似。

原文　**香令人幽，酒令人遠，茶令人爽，琴令人寂，棋令人閒，劍令人俠，杖令人輕，塵令人雅，月令人清，竹令人冷，花令人韻，石令人雋，雪令人曠，僧令人淡，蒲團令人野，美人令人憐，山水令人奇，書史令人博，金石鼎彝令人古。**

譯文　香令人幽怨，酒令人遐思，茶令人清爽，琴令人寂靜，棋令人閑適，劍令人豪邁，竹杖令人輕侈，拂塵令人雅，月令人清爽，竹令人清冷，花令人雅致，石令人雋永，雪令人曠達，僧令人淡泊，蒲團令人粗野，美人令人愛憐，山水令人稱奇，史書令人廣博，金石、鼎彝令人古樸。

原文　**吾齋之中，不尚虛禮。凡入此齋，均爲知己；隨分款留，忘形笑語；不言是非，不侈榮利；閑談古今，靜玩山水；清茶好酒，以適幽趣。臭味之交，如斯而已。**

譯文　我的書齋中，不喜歡虛禮。祇要進入書齋的，都是知己；隨便去留，開懷說笑；不說是非，不羨慕聲名利祿；閑談古今，把玩山水；清茶、好酒，祇不過適合情趣。志趣相投，僅僅如此而已。

原文 **窗宜竹雨聲，亭宜松風聲，几宜洗硯聲，榻宜翻書聲，月宜琴聲，雪宜茶聲，春宜箏聲，秋宜笛聲，夜宜砧聲。**

譯文 窗下適宜聽竹雨聲，亭子裏適宜聽松聲，案几旁適宜聽洗硯臺的聲音，榻上適宜聽翻書聲，月下適宜聽琴聲，雪中適宜聽煮茶聲，春天適宜聽古箏聲，秋天適宜聽笛聲，夜晚適宜聽搗衣聲。

原文 **翻經如壁觀僧，飲酒如醉道士，橫琴如黃葛野人，肅客如碧桃漁父。**

譯文 閱讀經書就要像面壁而坐的僧人一樣凝神入定，喝酒就如醉道士一樣放浪不羈，彈琴如同黃葛野人，迎客如同碧桃漁父。

原文 **竹徑款扉，柳陰班席，每當雄才之處，明月停輝，浮雲駐影，退而與諸俊髦西湖靚媚。賴此英雄，一洗粉澤。**

譯文 沿着竹林小路叩門，在柳樹下按次序坐下來，每當有英雄才俊到來的時候，明月的光輝停止不動，浮雲也不飄動了，和各位英雄豪傑泛舟西湖，觀賞明媚的春光。西湖也因爲英雄豪傑洗去了脂粉氣。

原文 **雲林性嗜茶，在惠山中，用核桃、松子肉和白糖成小塊如石子，置茶中，出以啖客，名曰「清泉白石」。**

譯文 倪雲林喜歡喝茶，在惠山時，他把核桃、松子肉和白糖調在一起，做成石子般大小，放在茶裏讓客人品嘗，取名爲「清泉白石」。

原文 **有花皆刺眼，無月便攢眉，當場得無妒我；花歸三寸管，月代五更燈，此事何可語人？**

譯文 花都會吸引人的視綫，沒有月亮就皺着眉頭，當場不會嫉妒我吧；花事歸三寸不爛之舌去管，月亮代替五更的燈火，這種事怎麼和別人去說呢？

原文 **求校書於女史，論慷慨於青樓。**

譯文 在讀書的女子中尋找才藝出衆的藝妓，在妓院裏抒發慷慨激昂的言論。

原文 **填不滿貪海，攻不破疑城。**

譯文 貪欲的海是填不滿的，猜疑的城是攻不破的。

原文 **機息便有月到風來，不必苦海人世；心遠自無車塵馬跡，何須痼疾丘山？**

譯文 祇要消除功利心，就會有月到風來的時候，不覺得人間是苦海；祇要淡泊，就沒有車馬塵跡、世俗嘈雜，何必喜歡山水成癖呢？

原文 **幽心人似梅花，韻心士同楊柳。**

譯文 內心幽靜的人像梅花，富有韻味的人像柳樹。

原文 **情因年少，酒因境多。**

譯文 多情是因爲年輕，喝酒是因爲心境複雜。

原文 **看書築得村樓，空山曲抱；趺坐掃來花徑，亂水斜穿。**

譯文 要想靜心看書，最好的地方是山村的小樓上，周圍有青山環繞；盤腿打坐，最好在花叢夾道的小路上，有清澈的溪水環繞。

原文 **倦時呼鶴舞，醉後倩僧扶。**

譯文 疲倦時讓鶴跳舞，醉後讓和尚扶着。

原文 **鳥銜幽夢遠，祇在數尺窗紗；蛩遞秋聲悄，無言一龕燈火。**

譯文 鳥銜着幽夢飛遠，夢境好像在數尺紗窗外；蟋蟀的叫聲傳遞着秋天的信息，對着龕中的燈火無言。

原文 **藉草班荊，安穩林泉之夢；披裘拾穗，逍遙草澤之曬。**

譯文 就着草坪盤腿而坐，在山水環繞的林泉間安然徜徉；披着裘衣拾麥穗，在陽光的照耀下逍遙自在。

原文 **萬綠陰中，小亭避暑；八闥洞開，几簟皆綠。雨過蟬聲來，花氣令人醉。**

譯文 在廣闊的綠蔭中小亭是避暑的好地方，樹蔭八面敞開，把案几和簟席都染成了綠色。雨後蟬聲陣陣，花的香氣讓人沉醉。

原文 **剸犀截雁之舌鋒，逐日追風之腳力。**

譯文 犀利的言辭就像利劍一樣能夠剝開犀牛的皮，像飛箭一樣截住飛雁；矯健的腳力與夸父騎着追風逐日一樣快。

原文 **瘦影疏而漏月，香陰氣而墮風。**

譯文 瘦竹蕭疏漏下月影，花叢的香氣隨微風散開。

原文 **修竹到門雲裏寺，流泉入袖水中人。**

譯文 修長的竹子掩映到雲霧繚繞的寺廟前，水面倒映着人影，清泉就在袖子間流淌。

原文 **詩題半作逃禪偈，酒價都爲買藥錢。**

譯文 作詩的題目多半是參禪的偈語，買酒的錢都拿來買藥了。

原文 **掃石月盈帚，濾泉花滿篩。**

譯文 打掃石徑，月光灑滿掃帚；過濾泉水，花瓣佈滿篩子。

原文 **流水有方能出世，名山如藥可輕身。**

譯文 流水有奇招，令人超凡脫俗；名山如同妙藥，使人身體健碩。

原文 **與梅同瘦，與竹同清，與柳同眠，與桃李同笑，居然花裏神仙；與鶯同聲，與燕同語，與鶴同唳，與鸚鵡同言，如此話中知己。**

譯文 和梅一樣瘦，和竹一樣清，和柳一起睡，和桃花、李花一起笑，好像是花國裏的神仙；和黃鶯一起歌唱，和燕子說話，和鶴一起鳴叫，和鸚鵡說話，這就是言談的知己。

原文 **登山遇厲瘴，放艇遇腥風，抹竹遇繆絲，修花遇酲霧，歡場遇害馬，吟席遇傖夫，若斯不遇，甚於泥塗。偶集逢好花，踏歌逢明月，席地逢軟草，攀磴逢疏藤，展卷逢靜雲，戰茗逢新雨，如此相逢，逾於知己。**

譯文 登山遇到嚴重的霧瘴，航船遇到狂風，繞過竹林遇到蛛網，修建花木時醉酒不醒，歡場之中遇害群之馬，吟詠詩歌時遇粗鄙者，如果能不碰到這些情況，強過身陷泥途。偶爾趕集遇到好花，踏青放歌遇到月明，席地而坐碰到柔軟的草，攀登磴道遇到藤蔓稀疏，讀書時恰好風平雲靜，喝茶時正逢新雨，像這樣相逢，超過恰逢知己。

原文 **草色遍溪橋，醉得蜻蜓春翅軟；花風通驛路，迷來蝴蝶曉魂香。**

譯文 草色綠遍了溪邊的小橋，連蜻蜓也醉得翅膀無力；花香隨風吹到驛站通道上，連蝴蝶也迷醉了，魂夢中猶然花香四溢。

原文 **田舍兒強作馨語，博得俗因；風月場插入傖父，便成惡趣。**

譯文 農家的孩子勉強說幾句溫馨的話，博取的是俗氣；風月場中插進來粗俗的漢子，便會有醜惡的趣味。

原文 **詩瘦到門鄰，病鶴清影頗嘉；書貧經座並，寒蟬雄風頓挫。**

譯文 因爲苦吟變瘦的詩人來到門前，和病中的野鶴對立，清幽的影子很美妙；貧窮的書生經過座前，和寒風中的知了相襯，讓人有雄風受挫的感覺。

原文 **梅花入夜影蕭疏，頓令月瘦；柳絮當空晴恍忽，偏惹風狂。**

譯文 寒夜裏梅花更顯得蕭疏冷清，讓月亮也消瘦了；柳絮飄飛，晴朗的天空恍惚，偏偏惹來狂風。

原文 **花陰流影，散為半院舞衣；水響飛音，聽來一溪歌板。**

譯文 花蔭流動的影子，隨着陽光灑了半院；溪水流淌的聲音，聽起來好像是音樂的節拍聲。

原文 **萍花香裏風清，幾度漁歌；楊柳影中月冷，數聲牛笛。**

譯文 在萍花香氣裏清風徐來，幾度聽到漁歌聲；月光在冷清的柳影中顯得更加冷清，傳來了牧童的笛聲。

原文 **謝將縹緲無歸處，斷浦沉雲；行到紛紜不繫時，空山掛雨。**

譯文 辭別親友流落天涯不知道歸處，祇見水盡雲沉；走到歧路不知到哪裏的時候，祇有幽靜山間飄落的細雨。

原文 **渾如花醉，潦倒何妨；絕勝柳狂，風流自賞。**

譯文 窮困潦倒就好像醉卧在花間，潦倒又有什麼呢；風流絕對勝過孤芳自賞的狂柳。

原文 **春光濃似酒，花故醉人；夜色澄如水，月來洗俗。**

譯文 春光像濃酒，花香足以使人沉醉；夜色像水一樣澄澈，月光可以洗去塵俗。

原文 **雨打梨花深閉門，怎生消遣？分付梅花自主張，著甚牢騷？**

譯文 雨打梨花很有韻味，緊閉門窗怎能消遣呢？吩咐梅花自作主張，還發什麼牢騷呢？

原文 **對酒當歌，四座好風隨月到；脫巾露頂，一樓新雨帶雲來。**

譯文 舉着美酒放聲歌唱，滿座清風隨着月光而來；摘下頭巾露出頭頂，一樓春雨帶着彩雲飄來。

原文 **浣花溪內，洗十年遊子衣塵；修竹林中，定四海良朋交籍。**

譯文 在浣花溪裏，洗去遊子衣服上十年的灰塵；在修竹林中，編定四海知己交往的名冊。

原文 **人語亦語，詆其味於鉗口；人默亦默，訾其短於雌黃。**

譯文 附和別人說話，人們會詆毀他把不住口風；跟隨別人沉默，人們會譏諷他不善於評論品鑒。

原文 **豔陽天氣，是花皆堪釀酒；綠陰深處，凡葉盡可題詩。**

譯文 豔陽天裏，衹要是花就能採來釀酒；綠蔭深處，衹要是葉子就可以題詩。

原文 **曲沼荇香浸月，未許魚窺；幽關松冷巢雲，不勞鶴伴。**

譯文 長滿了荇菜的水澤中浸着月影，不可以被魚偷窺，松樹清冷，雲歸去，這樣幽靜的時候，不可以讓鶴來相伴。

原文 **篇詩斗酒，何殊太白之丹丘？扣舷吹簫，好繼東坡之赤壁。**

譯文 暢飲斗酒吟誦詩篇，和李白的《將進酒》有什麼不同？叩響船舷吹簫相和，好像是仿照蘇軾續寫《赤壁賦》。

原文 **茶中著料，盌中著果，譬如玉貌加脂，蛾眉着黛，翻累本色。煎茶非漫浪，要須人品與茶相得，故其法往往傳於高流隱逸，有煙霞泉石磊落胸次者。**

譯文 茶中放佐料，盌裏放果品，好比是秀麗的臉上塗上脂粉，好看的眉上畫青黛，反而影響了本色。煎茶不是隨便的事，必須要人品和茶品相宜，因此，煎茶的方法衹在有煙霞泉石那樣磊落胸懷的隱士之間流傳。

原文 **樓前桐葉，散爲一院清陰；枕上鳥聲，喚起半窗紅日。**

譯文 樓前茂密的桐葉散落一院清涼；枕邊傳來鳥叫聲，喚起太陽映紅半個窗子。

原文 **天然文錦，浪吹花港之魚；自在笙簧，風戛園林之竹。**

譯文 風吹着西湖花港的魚，好像天然的花紋錦繡；風過竹林，發出陣陣濤聲，好像笙簧奏出和諧的韻律。

原文 **高士流連，花木添清疏之致；幽人剝啄，莓苔生淡冶之光。**

譯文 高士流連，山林花木爲其增添清疏的韻致；隱士下棋，青苔爲其增添素雅的光彩。

原文 **散履閑行，野鳥忘機時作伴；披襟兀坐，白雲無語漫相留。**

譯文 放開腳步閑逛，野鳥忘記了警惕前來相伴；披着衣襟打坐，白雲無語，似乎在邀人觀賞。

原文 **客到茶煙起竹下，何嫌屐破蒼苔；詩成筆影弄花間，且喜歌飛《白雪》。**

譯文 客來就提水煮茶，茶煙在竹林下裊裊昇起，又何必擔心木屐踐踏了蒼翠的苔蘚；筆墨在花叢飛舞間寫成詩篇，隨之飄來《白雪》的琴音，令人欣喜。

原文 **月有意而入窗，雲無心而出岫。**

譯文 月亮故意溜進窗戶，白雲無心從山穴間飄出。

原文 **屏絕外慕，偃息長林，置理亂於不聞，託清閑而自佚。松軒竹塢，酒甕茶鐺，山月溪雲，農蓑漁罟。**

譯文 摒棄對塵世貪欲的向往，隱居在山林間，不管世間的治亂興衰，祇圖清閑自在。松間的竹塢，盛酒的陶甕，烹茶的茶鐺，山間的明月，溪澗的雲霧，農人的蓑衣，漁民的漁網，都令人欣喜和流連。

原文 **怪石爲實友，名琴爲和友，好書爲益友，奇畫爲觀友，法帖爲範友，良硯爲礪友，寶鏡爲明友，淨几爲方友，古磁爲虛友，舊爐爲熏友，紙帳爲素友，拂塵爲靜友。**

譯文 怪石是樸實的朋友，名琴是和諧的朋友，好書是益友，奇畫是觀賞的朋友，法帖是模仿的朋友，良硯是砥礪的朋友，寶鏡是明亮的朋友，淨几是方正的朋友，古瓷是淸虛的朋友，舊爐是熏香的朋友，紙帳是素淡的朋友，

春光明媚

拂塵是幽靜的朋友。

原文 掃徑迎清風，登臺邀明月，琴觴之餘，間以歌詠，止許鳥語花香，來吾几榻耳。

譯文 打掃小路迎接清風，登上高臺邀請月亮，彈琴飲酒之餘伴以吟詠歌唱，祇許鳥語花香傳到我的几榻前。

原文 風波塵俗，不到意中；雲水淡情，常來想外。

譯文 是非風波這樣的世俗之事，從不在意；山水淡泊，常來相伴。

原文 紙帳梅花，休驚他三春清夢；筆床茶竈，可了我半日浮生。

譯文 紙做的帳子，盛開的梅花，不要驚醒三春清夢；放筆的架子，烹茶的竈，可以伴隨我度過自在的一生。

原文 酒澆清苦月，詩慰寂寥花。

譯文 面對清苦的月色借酒澆愁，吟詩作賦，慰問寂寥的花朵。

原文 好夢乍回，沉心未燼，風雨如晦，竹響入床，此時興復不淺。

譯文 突然從美夢中醒來，沉淪的心還沒有恢復，風吹雨落，天色昏暗，竹子沙沙作響，傳到床榻，這個時候的興致很高。

原文 山非高峻不佳，不遠城市不佳，不近林木不佳，無流泉不佳，無寺觀不佳，無雲霧不佳，無樵牧不佳。

譯文 山不高大峻秀不能稱爲佳，不遠離城市不能稱爲佳，不親近林木不能稱爲佳，沒有泉水不能稱爲佳，沒有寺觀不能稱爲佳，沒有雲霧不能稱爲佳，沒有樵夫牧民不能稱爲佳。

原文 一室十圭，寒蛩聲喑，折腳鐺邊，敲石無火。水月在軒，燈魂未滅，攬衣獨坐，如遊皇古意思。

譯文 在窄小的屋子裏，蟋蟀在寒秋中發不出聲音，在折腳的茶鐺之間敲火石卻生不出火來。水中明月照在高軒上，燭光熄滅燈花還在，攬衣獨坐，這樣的情景，仿佛在遊覽上古世界。

原文 遇月夜，露坐中庭，必爇香一炷，可號伴月香。

譯文 趕上月夜，頂着露水在院中打坐，必須燃起一炷香，可稱爲伴月香。

原文 襟韻灑落，如晴雪秋月，塵埃不可犯。

譯文 胸襟灑脫，像初晴的雪、清靜的秋月，是世間的塵埃無法侵犯和污染的。

原文 **峰巒窈窕，一拳便是名山；花竹扶疏，半畝如同金谷。**

譯文 峰巒秀美，即使是拳頭般大小也是名山；花蔭、竹影斑駁稀疏，即使祇有半畝也比得上金谷園。

原文 **觀山水亦如讀書，隨其見趣高下。**

譯文 看山水也像讀書一樣，會根據人的情趣、見識的不同一分高下。

原文 **深山高居，爐香不可缺，取老松柏之根枝實葉共搗治之，研風昉羼和之，每焚一丸，亦足助清苦。**

譯文 住在深山裏，爐香是不可缺的，取老松柏的根枝、果實和葉子一起搗碎製成，研成風昉加以調和，每焚完一丸香，足以幫助人清心苦行。

原文 **白日羲皇世，青山綺皓心。**

譯文 明媚的日光像上古伏羲時的清閑世界，山清水秀像漢初商山四皓那樣超俗。

原文 **松聲，澗聲，山禽聲，夜蟲聲，鶴聲，琴聲，棋子落聲，雨滴階聲，雪灑窗聲，煎茶聲，皆聲之至清，而讀書聲爲最。**

譯文 松間濤聲，山澗水聲，山禽叫聲，夜蟲鳴聲，鶴聲，琴聲，棋子落聲，雨滴階聲，雪灑窗聲，煎茶聲，這些聲音都是至清的，而讀書聲是最爲清幽的。

原文 **曉起入山，新流沒岸，棋聲未盡，石磬依然。**

譯文 早晨到山上去，溪澗的新漲的水淹沒了堤岸，下棋的落子聲沒有斷絕，石磬的情景和昨天一樣。

原文 **松聲竹韻，不濃不淡。**

譯文 松濤竹韻，不濃不淡，恰到好處。

原文 **何必絲與竹，山水有清音。**

譯文 沒必要有絲竹的樂聲，有山水的清音就夠了。

原文 **世路中人，或圖功名，或治生產，盡自正經，爭奈大地間好風月、好山水、好書籍，了不相涉，豈非枉卻一生！**

譯文 世間的人，有的圖功名，有的圖經營家產，用盡才智，對天地間的好風月、好山水、好書籍毫不涉獵，難道不是枉活了一生！

原文 **李巖老好睡，眾人食罷下棋，巖老輒就枕，閱數局乃一輾轉，云：「我始一局，君幾局矣？」**

譯文 李巖老喜歡睡，別人吃完飯在下棋，他卻去睡覺，幾局棋的功夫纔翻了個身，問：「我睡了一局，你們下了幾局了？」

原文 **晚登秀江亭，澄波古木，使人得意於塵埃之外，蓋人閑景幽，兩相奇絕耳。**

譯文 傍晚登上秀江亭，清波蕩漾，古木參天，讓人在世俗之外得到了清幽的樂趣，這全是因爲人悠閑、景幽靜，眞可謂兩相奇絕。

原文 **筆硯精良，人生一樂，徒設衹覺村妝；琴瑟在御，莫不靜好，纔陳便得天趣。**

譯文 筆硯很好是人生的一大樂趣，如果作爲擺設就像村姑的裝飾一樣俗氣；琴瑟在彈奏，沒有不安靜和好的，剛擺上就有了自然的趣味。

原文 **《蔡中郎傳》，情思逶迤；《北西廂記》，興致流麗。學他描神寫景，必先細味沉吟，如日寄趣本頭，空博風流種子。**

譯文 高明的《蔡伯喈琵琶記》寫得情思纏綿；王實甫的《西廂記》寫得風雅艷麗。要學習他們描寫和抒情的方法，應該先品味、反復吟誦，如果衹是把性情寄託在文本中，衹不過是一個風流種子罷了。

原文 **夜長無賴，徘徊蕉雨半窗；日永多閑，打疊桐陰一院。**

譯文 長夜百無聊賴，在雨打芭蕉的床前徘徊；白天天長，有很多空閑，打掃梧桐掩映的院落。

原文 **雨穿寒砌，夜來滴破愁心；雪灑虛窗，曉去散開清影。**

譯文 雨點灑在寒冷的石階上，在寂靜中滴破了憂愁的心緒；白雪飄在虛掩的窗戶上，在清晨散開一片清麗的景色。

原文 **春夜宜苦吟，宜焚香讀書，宜與老僧說法，以銷豔思。夏夜宜閑談，宜臨水枯坐，宜聽松聲冷韻，以滌煩襟。秋夜宜豪遊，宜訪快士，宜談兵說劍，以除蕭瑟。冬夜宜茗戰，宜酌酒說《三國》《水滸》《金瓶梅》諸集，宜箸竹肉，以破孤岑。**

譯文 春夜適合苦吟詩書，焚香讀書，還有和老和尚談論佛法，來消除內心美艷的情思。夏天適合閑談，適合靜坐，聽松濤聲那清冷的韻律，來消除內心的煩悶。秋天的晚上適合開懷遊玩，拜訪爽快的人，談論兵法、劍術，來消除蕭瑟的感覺。冬天的晚上適合鬥茶，適合一邊喝酒一邊說《三國》《水滸》《金瓶梅》等，用竹菰來佐食，來打破孤獨和寂寞。

原文 **玉之在璞，追琢則珪璋；水之發源，疏浚則川沼。**

譯文 美玉藏在璞石之中，雕琢就會成爲珪璋等寶玉；溪水流出於源頭，衹要加以疏浚就會成爲江河和湖泊。

原文 **山以虛而受，水以實而流，讀書當作如是觀。**

譯文 山因虛懷所以能接受他物，水因充實而溢出流淌，讀書也要像山水那樣虛心，不能自滿。

原文 **古之君子，行無友，則友松竹；居無友，則友雲山。余無友，則友古之友松竹、友雲山者。**

譯文 古代的君子，在外的時候沒朋友，就以青松、翠竹爲朋友；閑居的時候沒朋友，就以白雲、青山爲朋友。我在沒朋友的時候，就以古人中以青松、翠竹、白雲、青山爲友的人爲朋友。

原文 **買舟載書，作無名釣徒。每當草蓑月冷，鐵笛霜清，覺張志和、陸天隨去人未遠。**

譯文 買船載書，浪跡江湖做一個無名釣徒。每到草木積霜、月光清冷的時候，鐵笛霜清，覺得張志和、陸龜蒙並不遙遠。

原文 **「今日鬢絲禪榻畔，茶煙輕颺落花風。」此趣惟白香山得之。**

譯文 「蒼白的鬢髮垂在床邊，茶竈上的輕煙飄蕩在風中。」這樣的情趣衹有香山居士白居易纔能得到。

原文 **清姿如臥雲餐雪，天地盡愧其塵汙；雅致如蘊玉含珠，日月轉嫌其洩露。**

譯文 清逸的風姿就像躺在雲朵裏吃着白雪，天地都因爲沾染塵俗而感到慚愧；優雅的韻致好比蘊藏的寶玉和含而不露的珍珠，日月還嫌自己洩露了宇宙的精光。

原文 **焚香啜茗，自是吳中習氣，雨窗卻不可少。**

譯文 焚香品茶，本來就是吳中地區的習氣，雨中窗下的清閑安逸是不可少的。

原文 **茶取色臭俱佳，行家偏嫌味苦；香須沖淡爲雅，幽人最忌煙濃。**

譯文 茶要色澤、氣味都好，精於此道的人卻嫌味道苦澀；焚香要以清淡爲好，隱士最忌諱香味太濃。

原文 **朱明之候，綠陰滿林，科頭散髮，箕踞白眼，坐長松下，蕭騷流觴，正是宜人疏散之場。**

譯文 盛夏草木茂盛，綠蔭滿枝，披頭散髮，在松樹下岔開腿打坐，白眼看世界，風吹落葉，曲水環繞，這是適合自在生活的場所。

原文 **讀書夜坐，鐘聲遠聞，梵響相和，從林端來，灑灑窗几上，化作天籟虛無矣。**

譯文 讀書到深夜，聽到遠處的鐘聲，與佛徒誦經的聲音相和，從森林的一旁傳來，窗口和几案充滿清冷之氣，化作天籟，變爲虛無。

原文 **夏日蟬聲太煩，則弄簫隨其韻轉；秋冬夜聲寥颯，則操琴一曲咏之。**

譯文 夏天蟬聲太枯燥煩人，吹簫使其聲韻婉轉；冬夜寂寥，就拿來琴奏一首喧鬧的曲子。

原文 **心清鑒底瀟湘月，骨冷禪中太華秋。**

譯文 瀟湘的月光，讓人心底清澈可以見底；華山的秋色，讓人在禪坐中感到清冷之氣透徹肌膚。

原文 **語鳥名花，供四時之嘯詠；清泉白石，成一世之幽懷。**

譯文 會說話的鳥兒、出名的花兒，是供四時歌詠之用的；清澈的泉水、幽白的山石，成爲心中一世的情感。

原文 **掃石烹泉，舌底朝朝茶味；開窗染翰，眼前處處詩題。**

譯文 打掃石階煮上茶，舌底就泛起一股茶香；開窗遠望，作詩、繪畫，眼前到處都是作詩的題材。

原文 **權輕勢去，何妨張雀羅於門前；位高金多，自當效蛇行於郊外。蓋炎涼世態，本是常情，故人所浩嘆，惟宜付之冷笑耳。**

譯文 權勢沒了，不妨在門前張開羅網捕鳥雀；職位顯要、財富顯赫，就應該像蛇一樣小心地在地上爬行。因爲世態炎涼本來就是世間的常情，所以那些令人長吁短嘆的事，最好付之一笑，不放在心上。

原文 **溪畔輕風，沙汀印月，獨往閑行，嘗喜見漁家笑傲；松花釀酒，春水煎茶，甘心藏拙，不復問人世興衰。**

譯文 小溪旁微風吹拂，沙洲上灑滿月光，前去悠閑地散步，看到漁家笑傲江湖；用松花釀酒，取春水煮茶，心甘情願地藏起見解，不過問世間的興衰。

原文 **手撫長松，仰視白雲，庭空鳥語，悠然自欣。**

譯文 手摸索着長松，抬頭仰望白雲，鳥雀在庭院的上空鳴叫，讓人覺得悠閑自在。

原文 **或夕陽籬落，或明月簾櫳，或雨夜聯榻，或竹下傳觴，或青山當戶，或白雲可庭，於斯時也，把臂促膝，相知幾人，謔語雄談，快心千古。**

譯文 或者夕陽的餘光灑在籬笆上，或者捲起竹簾讓月光灑進來，或者在雨夜連床睡覺，或者在竹下暢飲，或者面對青山，或者白雲環繞，在這樣的情景下，找幾個朋友一起促膝而談，歡笑嬉戲，高談闊論，眞是千古快事。

原文 **疏簾清簟，銷白晝惟有棋聲；幽徑柴門，印蒼苔祇容屐齒。**

譯文 疏落的簾子，清涼的竹席，消遣白日的時光，祇聽見圍棋落子的聲音；幽深的小路，簡陋的柴門，印在蒼苔上的祇有木屐的齒痕。

原文 **落花慵掃，留襯蒼苔；村釀新芻，取燒紅葉。**

譯文 落花懶得去掃，留下襯託蒼苔；村酒剛剛釀好，取來紅葉焚燒。

原文 **幽徑蒼苔，杜門謝客；綠陰清晝，脫帽觀詩。**

譯文 幽靜的小路佈滿蒼苔，關上門謝絕客人來訪；綠蔭覆蓋的小院白天很清涼，脫帽露頂，獨自觀賞詩詞。

原文 **煙蘿掛月，靜聽猿啼；瀑布飛虹，閑觀鶴浴。**

譯文 煙霧籠罩的藤蘿彷彿掛着月亮，靜聽猿猴的叫聲；飛流的瀑布彷佛橫貫天空的長虹，閑的時候觀看仙鶴沐浴。

原文 **簾捲八窗，面面雲峰送碧；塘開半畝，瀟瀟煙水涵清。**

譯文 把八面窗戶的簾子捲起來，每面都有山峰送來的碧綠；挖開半畝方塘，瀟瀟煙水蘊涵着清涼。

原文 **雲衲高僧，泛水登山，或可藉以點綴；如必蓮座說法，則詩酒之間，自有禪趣，不敢學苦行頭陀，以作死灰。**

譯文 穿着衲衣的僧人在江上泛舟，攀登高山，或許可以作爲點綴；如果一定要坐在蓮花寶座上說法，那麼喝酒吟詩間自有禪趣，不必和頭陀那樣苦行，像死灰一樣。

原文 **遨遊仙子，寒雲幾片束行妝；高臥幽人，明月半床供枕簟。**

譯文 遨遊宇宙的仙子，用幾片寒雲來裝束行妝；高卧無憂的隱士，在月光灑滿半張床的時候悠閑地枕着枕頭。

原文 **落落者難合，一合便不可分；欣欣者易親，乍親忽然成怨。故君子之處世也，寧風霜自挾，無魚鳥親人。**

譯文 沉默寡言的人很難合群，衹要合群就難分開；樂觀的人容易親近，忽然親近就會結怨。所以君子在世上，寧願接受風霜做知己，也不願像缸中魚、籠中鳥一樣親附於人。

原文 **海內殷勤，但讀《停雲》之賦；目中寥廓，徒歌明月之詩。**

譯文 對海內親友的深情厚誼，衹可讀陶淵明的《停雲》詩；眼中視野開闊，衹可讀曹操的《短歌行》。

原文 **生平願無恙者四：一曰青山，一曰故人，一曰藏書，一曰名草。**

譯文 一輩子希望四個東西不會有厄運：一是青山，二是老朋友，三是藏書，四是名草。

原文 **聞暖語如挾纊，聞冷語如飲冰，聞重語如負山，聞危語如壓卵，聞温語如佩玉，聞益語如贈金。**

譯文 聽到暖語如同披着棉衣一樣温暖，聽到冷語如同要飲冰一樣焦灼，聽到重語如同負山一樣沉重，聽到危語如同壓卵一樣危迫，聽到温語如同佩玉一樣温潤，聽到益語如同獲贈金子。

原文 **旦起理花，午窗剪葉，或截草作字，夜卧懺罪，令一日風流蕭散之過，不致墮落。**

譯文 早晨起來收拾花，中午修剪枝葉，或者截草寫字，晚上躺在床上懺悔白天的事情，每一天都過得瀟灑而不臻墮落。

原文 **快欲之事，無如飢餐；適情之時，莫過甘寢。求多於情欲，即侈汰亦茫然也。**

譯文 最痛快的事情就要數餓了的時候大吃一頓；最令人高興的事是好好睡一覺。應該多一點清心寡欲，即使奢侈也是惘然的。

原文 **雲隨羽客，在瓊台雙闕之間；鶴唳芝田，正桐陰靈虛之上。**

譯文 雲跟隨着羈旅的人，在瓊臺雙闕之間飄蕩；鶴在芝田上鳴叫，正處在仙境之上。

奇

原文 **我輩寂處窗下，視一切人世，俱若蠛蠓嬰媿，不堪寓目。而有一奇文怪說，目數行下，便狂呼叫絕，令人喜，令人怒，更令人悲。低徊數過，床頭短劍亦嗚嗚作龍虎吟，便覺人世一切不平，俱付煙水。集奇第八。**

譯文 我們靜坐在窗下，冷眼看世上的一切世事，都好像蠓蟲一樣爭着吸血，不忍去看。有一段奇怪的談論，我一氣看完，認爲好極了，內容令人叫絕，也令人歡喜、憤怒，更令人悲傷。經過品味後，連掛在床頭的短劍都發出龍吟的聲音，讓人覺得世間的恩怨情仇像過眼雲煙一樣散去了。於是編撰了第八卷《奇》。

原文 **呂聖功之不問朝士名，張師高之不發竊器奴，韓稚圭之不易持燭兵，不獨雅量過人，正是用世高手。**

譯文 呂蒙正不問嘲笑他的那個朝士叫什麼，張齊賢不揭發偷盗銀器的奴僕，韓琦不換掉舉蠟燭燒掉他胡子的士兵，這些人有度量，但是更懂得用世。

原文 **花看水影，竹看月影，美人看簾影。**

譯文 花兒該看自己在水中的影子，竹子該看自己在月光下的影子，美人應看自己在珠簾後的影子。

原文 **佞佛若可懺罪，則刑官無權；尋仙若可延年，則上帝無主。達人盡其在我，至誠貴於自然。**

譯文 迷戀佛教要是能懺悔罪過，那麼執刑官就沒權利可言；尋求成仙要是能延年益壽，那麼連天帝都管不着。通達的人的言行都出於內心的眞誠，而且至誠的心貴在順從自然。

原文 **以貨財害子孫，不必操戈入室；以學術殺後世，有如按劍伏兵。**

譯文 用錢財給自己帶來禍害，不一定要操戈入室；通過學校教育來扼殺後輩，就像按劍伏兵一樣危險。

原文 **君子不傲人以不如，不疑人以不肖。**

譯文 正人君子不會因爲別人不如自己就驕傲，也不會因爲別人的品行不端正就不信任別人。

原文 **讀諸葛武侯《出師表》而不墮淚者，其人必不忠；讀韓退之《祭十二郎文》而不墮淚者，其人必不友。**

譯文 要是讀諸葛亮的《出師表》不哭的人，肯定沒有盡忠的心；讀韓愈的《祭十二郎文》不流淚的，這個人肯定沒有朋友之情。

原文 **世味非不濃艷，可以淡然處之。獨天下之偉人與奇物，幸一見之，自不覺魄動心驚。**

譯文 人情不可以說不濃，可以用淡泊的心出於其間。有時幸運地看到偉大的人物和奇異的事情，內心不禁魂魄搖動，暗自驚喜。

原文 **道上紅塵，江中白浪，饒他南面百城；花間明月，松下涼風，輸我北窗一枕。**

譯文 路上塵土飛揚，江中白浪翻騰，這情景比君臨天下、坐擁書城還富有；花間有明月照耀，松下送來涼風，不如我在北窗下枕着枕頭大睡更自在。

原文 **立言亦何容易，必有包天包地、包千古、包來今之識；必有驚天驚地、驚古今、驚來今之才；必有破天破地、破千古、破來今之膽。**

譯文 想要立言談何容易，一定要有通天曉地、知今博古的見識；一定要有驚天動地、驚古奇今的才智；一定要有開創天地、開創古今的膽略。

原文 **聖賢爲骨，英雄爲膽，日月爲目，霹靂爲舌。**

譯文 聖賢之見識作骨，英雄之氣概作膽，日月之光輝作目，霹靂之震耳作舌。

原文 **瀑布天落，其噴也珠，其瀉也練，其響也琴。**

譯文 瀑布從天而落，噴灑如珍珠，傾瀉如白練，作響如琴韻。

原文 **平易近人，會見神仙濟度；瞞心昧己，便有邪祟出來。**

譯文 平易近人，就會看見神仙濟度；一心欺騙，就會產生邪祟。

原文 **佳人飛去還奔月，騷客狂來欲上天。**

譯文 佳人飛昇進入月宮，詩人狂放想要上天。

原文 **涯如沙聚，響若潮吞。**

譯文 水邊陸地像沙土堆積而成，響聲像潮水吞吐一樣。

原文 **詩書乃聖賢之供案，妻妾乃屋漏之史官。**

譯文　詩書是聖賢之士擺放在供桌上的貢品，妻妾是屋漏處的史官。

原文　**強項者未必爲窮之路，屈膝者未必爲通之媒。故銅頭鐵面，君子落得做個君子；奴顏婢膝，小人枉自做了小人。**

譯文　剛正不屈的人不一定走上窮途之路，屈服的人不一定走上通達之路。所以銅頭鐵面，君子最終是君子；奴顏婢膝，小人徒然做了小人。

原文　**一世窮根，種在一撚傲骨；千古笑端，伏於幾個殘牙。**

譯文　一世窮苦，祇因爲那一撚傲骨；貽笑千古，祇出於幾顆殘牙。

原文　**石怪常疑虎，雲閑卻類僧。**

譯文　石頭的形狀很奇怪，讓人常當成老虎；雲彩悠閑地飄蕩，像僧人遠遊。

原文　**大豪傑，捨己爲人，小丈夫，因人利己。**

譯文　大豪傑能捨己救人；小丈夫愛損人利己。

原文　**一段世情，全憑冷眼覷破；幾番幽趣，半從熱腸換來。**

譯文　對於世事，全靠冷眼旁觀纔能看破；幾番幽韻雅趣，大半要用熱心腸纔能換來。

原文　**識盡世間好人，讀盡世間好書，看盡世間好山水。**

譯文　認識全天下的好人，讀完全天下的好書，看完全天下的好山好水。

原文　**舌頭無骨，得言句之總持；眼裏有筋，具遊戲之三昧。**

譯文　舌頭沒有骨頭，但是說話要靠它把持；眼睛有筋骨，能看明白人間遊戲的眞諦。

原文　**群居閉口，獨坐防心。**

譯文　群居的時候要閉上嘴巴，獨坐的時候要防止胡思亂想。

原文　**當場傀儡，還我爲之；大地衆生，任渠笑駡。**

譯文　逢場作戲的傀儡，還是自己盡力而爲；世間的蕓蕓衆生，則任他笑駡。

原文　**三徙成名，笑范蠡碌碌浮生，縱扁舟忘卻五湖風月；一朝解綬，羡淵明飄飄遺世，命巾車歸來滿室琴書。**

譯文　范蠡雖然三徙成名，但他一生忙忙碌碌，縱然扁舟五湖，卻無暇欣賞風月；陶淵明雖然一朝辭官，卻能在世間無拘無束，駕駛巾車回來，滿屋子琴聲、書畫。

原文　**棋能避世，睡能忘世。棋類耦耕之沮溺，去一不可；睡同御風之列子，獨往獨來。**

譯文　下棋能逃避塵世，睡覺能讓人忘世。下棋要兩個人對下，就像長沮和桀溺並肩耕作一樣，缺一不可；睡覺就像乘風而行的列子一樣，可以獨來獨往。

原文　**以一石一樹與人者，非佳子弟。**

譯文　給別人像石頭和樹這樣的小恩惠的人，不是好後生。

原文　**一勺水，便具四海水味，世法不必盡嘗；千江月，總是一輪月光，心珠宜當獨朗。**

譯文　一勺水就具備了五湖四海水的味道，所以世間的人情世事不一定都要經歷；千江上的明月其實是同一輪，所以人的心應該純淨如珠，光明朗照。

原文　**愁非一種，春愁則天愁地愁；怨有千般，閨怨則人怨鬼怨。天懶雲沉，雨昏花蹙，法界豈少愁云？石頹山瘦，水枯木落，大地覺多窘況。**

譯文　憂愁不止一種，要是春愁的話，那麼天也愁地也愁；怨恨有很多種，如果是閨中之怨，那麼人也怨鬼也怨。天慵懶，雲就會低沉；陰雨昏暗的時候，花就皺眉，宇宙難道會沒有憂愁嗎？巖石剝落，泉水枯竭，樹木凋落，大地就感覺多了窘迫的情形。

原文　**筍含禪味，喜坡仙玉版之參；石結清盟，受米顛袍笏之辱。**

譯文　竹筍中蘊含着禪的味道，很喜歡蘇軾拜訪玉版和尚所玩的遊戲；巨石連接成清雅的會盟，反而遭受米芾錦袍象笏參拜的恥辱。

原文　**緗綈遞滿而改頭換面，茲律既湮；縹帙動盈而活剝生吞，斯風亦墜。**

譯文　書架上放着米黃色的書套，書卻變了，書的眞諦已經沒了；淡青色的書套有幾尺厚，內容卻被活剝了，傳統的讀書風氣已經消失殆盡了。

原文　**先讀經，後可讀史；非作文，未可作詩。**

譯文　衹有先讀經書，纔可以讀史書；要是不練習作文章，就沒法作好詩。

原文　**俗氣入骨，即呑刀刮腸，飲灰洗胃，覺俗態之益呈；正氣效**

靈，即刀鋸在前，鼎鑊具後，見英風之益露。

譯文 俗氣深入骨髓，即使吞刀刮腸，喝灰洗胃，仍然覺得神態俗得要命；要是靈魂中有正氣，即使刀鋸在前，鼎鑊在後，反而更能顯出英雄的豪氣。

原文 **於琴得道機，於棋得兵機，於卦得神機，於藥得仙機。**

譯文 從琴中悟得自然的玄機，從下棋中可以領悟兵法戰略，從占卜中可以得到莫測的神機，從丹藥中悟得仙機。

原文 **相禪遐思唐虞，戰爭大笑楚漢。夢中蕉鹿猶真，覺後蒓鱸一幻。**

譯文 想到禪讓，遙想遠古時候的堯和舜；想到爭戰，大笑項羽和劉邦。夢中的蕉鹿似乎是真的，醒來後覺得蒓菜和鱸魚似乎也是夢幻中的。

原文 **世界極於大千，不知大千之外更有何物；天宮極於非想，不知非想之上畢竟何窮。**

譯文 世界非常大，不知道廣大無邊的世界之外有什麼東西；天宮在非想天中無限大，不知道非想天之上究竟還有多少無窮勝景。

原文 **作夢則天地亦不醒，何論文章？爲客則洪蒙無主人，何有章句？**

譯文 進入夢境，即使天地也會處於沉醉狀態，更別說文章的清醒？人如果作爲世上的匆匆過客，宇宙從來就沒有主人，哪裏還會有什麼詩文章句？

原文 **豔出浦之輕蓮，麗穿波之半月。**

譯文 嬌艷的花朵，沒有比生長在水邊的清麗荷花更動人的；美麗的景色，沒有比波光粼粼的半圓之月更美麗的。

原文 **雲氣恍堆窗裏岫，絕勝看山；泉聲疑瀉竹間樽，賢於對酒。**

譯文 雲蒸霞蔚的景象，仿佛是堆積在窗前的山巒，其中的絕妙比觀賞山景更美；泉水叮咚作響，好像從竹間酒樽中傾瀉而出，這種美感比對酒當歌還美。

原文 **杖底惟雲，囊中惟月，不勞關市之譏；石笥藏書，池塘洗墨，豈供山澤之稅。**

譯文 手杖之下衹有雲，背囊之中衹有月，這樣就不用爲關市之譏而憂勞了；用石笥藏書，用池塘裏的水洗墨，就不用擔心承擔山澤的稅賦了。

原文 **有此世界，必不可無此傳奇；有此傳奇，乃可維此世界。則傳奇所關非小，正可借《西廂》一卷，以爲風流談資。**

譯文 有這樣的世界，一定不會缺少這樣的戲曲；正是有了這些戲曲，纔會維繫這樣的世界。由此看來，戲曲不是非同小可的，一部《西廂記》可以作爲風流談資。

原文 **非窮愁不能著書，當孤憤不宜說劍。**

譯文 沒有到窮困悲愁的時候，不可以著書立說；孤傲激憤的時候，不應當談刀論劍。

原文 **湖山之佳，無如清曉春時。當乘月至館，景生殘夜，水映岑樓，而翠黛臨階，吹流衣袂，鶯聲鳥韻，催起哄然。披衣步林中，則曙光薄戶，明霞射几，輕風微散，海旭乍來。見沿堤春草霏霏，明媚如織，遠岫朗潤出林，長江浩渺無涯，嵐光晴氣，舒展不一，大是奇絕。**

譯文 湖山最好的景致沒有比春天的清晨更好的了。當伴着殘月來到館舍，眼前會現出另一番景致，平靜的水面上倒映着小樓，墨綠色的湖水臨着臺階，微風吹着衣襟，黃鶯的叫聲和着鳥鳴的旋律，讓夢中之人驚醒。披上衣衫去樹林，衹見曙光照在門上，明朗的朝霞照在几案上，微風散去，太陽昇起。堤岸上芳草霏霏，春光就像錦緞，遠方的山巒明亮潤澤，江面遼闊無邊，晨霧在空中或舒或動，呈現千姿百態，非常奇特、美妙。

原文 **心無機事，案有好書，飽食晏眠，時清體健，此是上界真人。**

譯文 內心沒有算計，案頭就擺上好書，飽食終日，安然睡去，身體強健、心態好，這樣的生活好似天上的神仙一樣逍遙。

原文 **讀《春秋》，在人事上見天理；讀《周易》，在天理上見人事。**

譯文 讀《春秋》，在人事上能看出天理；讀《周易》，在天理之上能洞察出人情世事。

原文 **則何益矣，茗戰有如酒兵；試妄言之，談空不若說鬼。**

譯文 品茗鬥茶沒什麼好處，就好像鬥酒一樣；終日空談有什麼作用，還不如談狐說鬼。

原文 **鏡花水月，若使慧眼看透；筆彩劍光，肯教壯志銷磨！**

譯文 鏡中花、水中月，如果有慧眼、就能看透；筆中彩、劍上花，怎能讓

壯志消磨殆盡呢！

原文 **烈士須一劍，則芙蓉赤精，不惜千金購之。士人惟寸管，映日干雲之器，那得不重價相索！**

譯文 烈士須佩劍，如果是芙蓉、赤精這樣的名劍，則不惜千金購買。讀書人要配備毛筆，如果是映日千雲那樣名貴的毛筆，則不辭重價尋覓！

原文 **委形無寄，但教鹿豕爲群；壯志有懷，莫遣草木同朽。**

譯文 放浪性情，無欲無求，衹求和豬、鹿一同居住；胸懷壯志，思想超絕，不能和草木一起腐朽。

原文 **烘日吐霞，吞河漱月；氣開地震，聲動天發。**

譯文 太陽昇起，煥發彩霞，把山河包容起來，用月光漱洗；氣勢已開，大地爲之震動，聲勢一動，上天都爲之叫喊。

原文 **議論先輩，畢竟沒學問之人；獎惜後生，定然關世道之寄。**

譯文 對先輩指手畫腳的人，都是沒有學問的人；嘉獎、珍惜後生的人，一定寄託了自己對世道的希望。

原文 **貧富之交，可以情諒，鮑子所以讓金；貴賤之間，易以勢移，**

管寧所以割席。

譯文 貧富之交，可以依據情感來諒解，這是鮑叔牙之所以讓金的原因；貴賤之間，容易因爲權勢而改變，這是管寧之所以割席的原因。

原文 **論名節，則緩急之事小；較生死，則名節之論微。但知爲餓夫以採南山之薇，不必爲枯魚以需西江之水。**

譯文 談論名節，那麼急迫困難的事情要小得多；如果和生死比較起來，那麼名譽和節操也微不足道。人們衹知道伯夷、叔齊不吃周朝的糧食最後餓死在終南山的事情，不必爲救活快要枯死的魚來引西江的水。

原文 **儒有一畝之宫，自不妨草茅下賤；士無三寸之舌，何用此土木形骸？**

譯文 儒生衹需要有一畝那麼大的房屋就可以了，這樣可以做到自然，以致甘於居住在茅舍，並處於貧賤之中；謀士若沒有三寸不爛之舌，要土木一樣的身體又有什麼用呢？

原文 **鵬爲羽傑，鯤稱介豪，翼遮半天，背負重霄。**

譯文 鵬是鳥類中的傑出者，鯤被稱爲豪傑，羽翼遮住了半邊天空，背上背負沉重的雲霄。

原文 **點破無稽不根之論，衹須冷語半言；看透陰陽顛倒之行，惟此冷眼一隻。**

譯文 點破沒有根據的無稽之談，衹需要半句冷語；看透陰陽顛倒的行徑，衹需要一隻冷眼。

原文 **古之釣也，以聖賢爲竿，道德爲綸，仁義爲鈎，利祿爲餌，四海爲池，萬民爲魚。釣道微矣，非聖人其孰能之？**

譯文 古人垂釣，以聖賢爲漁竿，以道德爲垂綸，以仁義爲魚鈎，以利祿爲魚餌，以四海爲魚池，以萬民爲魚。垂釣之道喪失了，不是聖人，還有誰能勝任呢？

原文 **浮雲回度，開月影而彎環；驟雨横飛，挾星精而搖動。**

譯文 浮雲來回游動，使月影開合、回環、彎曲；暴雨横飛，挾帶星宿之精而撼動天地。

原文 **天臺嵊起，繞之以赤霞；削成孤峙，覆之以蓮花。**

譯文 天臺山陡起，環繞着赤霞峰；峭壁孤立高聳，用蓮花峰來遮蓋。

原文 **金河別雁，銅柱辭鳶；關山夭骨，霜露凋年。**

譯文 金河邊飛過替蘇武瀚海傳書的大雁，馬援在銅柱下仰視辭別的飛鳶；邊塞埋葬着夭亡的尸骨，霜露凋零了年華。

原文 **翻光倒影，擢菡萏於湖中；舒豔騰輝，攢螮蝀於天畔。**

譯文 水面上翻光倒影，似乎在牽引水中的荷花；雲彩舒張，似乎在攢動天空中的彩虹。

原文 **照萬象於晴初，散寥天於日餘。**

譯文 在雨過天晴之時照耀萬物，在日暮之時散放於遼闊的天空。

綺

原文 **朱樓綠幕，笑語勾別座之春；越舞吳歌，巧舌吐蓮花之豔。此身如在怨臉愁眉、紅妝翠袖之間，若遠若近，爲之黯然。嗟乎！又何怪乎身當其際者，擁玉床之翠而心迷，聽伶人之奏而隕涕乎？集綺第九。**

譯文 朱紅色的樓宇垂着綠色的帷幕，樓上傳來的笑語使得別處的賓客都心動了；舞女唱起了吳越的歌，舞起了吳越的舞蹈，靈巧的舌頭吐着歌詞，就好像艷麗的蓮花一般美麗。就好像讓人回到了古代，回到當時那些做一臉愁容、眉頭緊鎖、化着紅妝、舞動翠袖的絕色美女之間一樣，她們有時離我們很近，有時又好像很遠，讓人不禁黯然神傷。唉！這些歌舞讓自己如同身臨其境，擁有翠綠的玉床，但是心卻完全沉迷於其間，聽到伶人的演奏，悄悄地落下淚，又有什麼奇怪的呢？所以編撰了第九卷《綺》。

原文 **天臺花好，阮郎卻無計再來；巫峽雲深，宋玉祇有情空賦。瞻碧雲之黯黯，覓神女其何蹤？睹明月之娟娟，問嫦娥而不應。**

譯文 天臺山上的花開得很美艷，阮郎卻再也不能來欣賞這些花了；濃密的烏雲籠罩着巫峽，宋玉衹能空對着巫山的女神寫賦文。遠遠地看到天上飄着的碧綠的雲彩，衹能黯然神傷，到哪裏去尋覓神女的蹤跡呢？看着娟秀的明月，遙問月亮上的嫦娥，嫦娥卻不作答。

原文　**妝臺正對書樓，隔池有影；繡戶相通綺戶，望眼多情。**

譯文　用來梳妝的妝臺正對着書樓，兩座樓宇之間有一個水池，倒影都投在水池中了；繡戶之門連通着文房之門，有情人從彼此的窗戶裏隔着窗相望。

原文　**蓮開並蒂，影憐池上鴛鴦；縷結同心，日麗屏間孔雀。**

譯文　池塘裏的蓮花開出了並蒂花，惹得池上的鴛鴦在花間遊玩嬉戲，流連忘返，不肯離去；用絲綫編織出來同心結，惹得孔雀整天開放美麗的雀屏。

原文　**堂上鳴琴操，久彈乎《孤鳳》；邑中製錦紋，重織於雙鸞。**

譯文　在大堂上彈琴曲，彈久了就成了《孤鳳》；到城中刺綉織錦，最後就織成了鸞鳳齊飛共鳴。

原文　**鏡想分鸞，琴悲《別鶴》。**

譯文　對着鏡子悲傷地想着分離的鸞鳥，彈着《別鶴操》悲嘆離散的夫婦。

原文　**春透水波明，寒峭花枝瘦。極目煙中百尺樓，人在樓中否？**

譯文　春光明媚，透過水波分外明，寒風料峭，梅花的枝幹更加消瘦。眺望遠處霧靄中的百尺高樓，不知道思念的人是否在這個樓中？

原文　**明月當樓，高眠如避，惜哉夜光暗投；芳樹交窗，把玩無主，嗟矣紅顔薄命。**

譯文　明月照着高樓，躲進高樓裏睡覺，這暗投的月光實在是可惜了；芬芳的樹枝映在窗戶上，主人卻沒有來欣賞把玩，紅顔薄命很可悲。

原文　**鳥語聽其澀時，憐嬌情之未轉；蟬聲聽已斷處，愁孤節之漸消。**

譯文　鳥在叫時要聽它不圓潤的時候，可憐其嬌情不能發出婉轉之聲；聽蟬叫要聽中斷的地方，憂愁其孤直的節操已漸漸衰微。

原文　**斷雨斷雲，驚魄三春蝶夢；花開花落，悲歌一夜鵑啼。**

譯文 截斷雲雨，春天的鴛鴦蝴蝶夢驚心動魄；花開花落，一夜的杜鵑悲啼就好像唱一首悲歌。

原文 **衲子飛觴歷亂，解脱於樽斝之間；釵行揮翰淋漓，風神在筆墨之外。**

譯文 僧侶推杯換盞，放浪形骸，在酒杯之間尋求解脱；美女揮毫潑墨，淋灕盡致，風采神韻好像在筆墨之外。

原文 **養紙芙蓉粉，熏衣豆蔻香。**

譯文 保養紙最好用芙蓉粉，熏衣服最好用豆蔻香。

原文 **流蘇帳底，披之而夜月窺人；玉鏡臺前，諷之而朝煙縈樹。**

譯文 捲起流蘇帷帳，皎潔的月亮也來偷看人；對着明月吟詩，朦朧的朝霧環繞着樹枝。

原文 **風流誇墜髻，時世聞啼眉。**

譯文 墜馬髻風流一時，世人都誇獎；啼眉妝在當時很流行，婦女都畫。

原文 **新壘桃花紅粉薄，閣樓芳草雪衣涼。**

譯文 新壘邊桃花很嬌艷，即使美人也覺得相形見絀；閣樓下芳草萋萋，使鸚鵡也感到凄涼。

原文 **李後主宮人秋水，喜簪異花芳草，拂髻鬟嘗有粉蝶聚其間，撲之不去。**

譯文 李後主的宮女秋水，喜歡在頭上插奇花異草，拂頭髮和鬢角招來彩蝶在身邊飛舞，趕也趕不走。

原文 **濯足清流，芹香飛澗；浣花新水，蝶粉迷波。**

譯文 在清涼的溪水中洗腳，水芹的芳香溢滿山澗；在潔淨的水中洗鮮花，蝴蝶的粉彌漫於清波之中。

原文 **昔人有花中十友：桂爲仙友，蓮爲淨友，梅爲清友，菊爲逸友，海棠名友，荼蘼韻友，瑞香殊友，芝蘭芳友，臘梅奇友，梔子禪友。昔人有禽中五客：鷗爲閑客，鶴爲仙客，鷺爲雪客，孔雀南客，鸚鵡隴客。會花鳥之情，真是天趣活潑。**

譯文 古人有花中十友的說法：桂花爲仙友，蓮花爲淨友，梅花爲清友，菊花爲逸友，海棠爲名友，荼蘼爲韻友，瑞香爲殊友，芝蘭爲芳友，臘梅爲奇友，梔子花爲禪友。古人又有禽中五客的說法：鷗爲閑客，鶴爲仙客，鷺爲雪客，孔雀爲南客，鸚鵡爲隴客。這兩種說法都能夠領會和切合花鳥的性情，可以稱得上富有自然情趣，活潑可愛。

原文 **鳳笙龍管，蜀錦齊紈。**

譯文 鳳笙龍管，樂律動人；蜀錦齊紈，可謂精彩絕倫。

原文 **木香盛開，把杯獨坐其下，遙令青奴吹笛，止留一小奚侍酒，纔少斟酌，便退立迎春架後。花看半開，酒飲微醉。**

譯文 坐在木香花下，端着酒杯自飲，讓青衣女奴遠遠地吹笛，衹留下一個年少的男僕在身邊伺候，斟滿酒之後馬上退到迎春花架後面。賞花要看半開的花，飲酒要達到微有醉意。

原文 **夜來月下臥醒，花影零亂，滿人襟袖，疑如濯魄於冰壺。**

譯文 深夜在皎潔的月光下睡覺，忽然醒來，花影凌亂，灑滿襟袖，讓人神清氣爽，仿佛整個魂魄在盛冰的玉壺中浸過一樣。

原文 **看花步，男子當作女人；尋花步，女子當作男人。**

譯文 觀賞花卉時的腳步，男人應該像女人那樣輕緩；尋訪花卉的腳步，女子應該像男人那樣快。

原文 **窗前俊石冷然，可代高人把臂；檻外名花綽約，無煩美女分香。**

譯文 窗前有美石冷然立着，可以代替主人和賓客交遊；門外有名花風姿綽約，沒有必要讓美女來分享花香。

原文 **新調初裁，歌兒持板待的；鬮題方啓，佳人捧硯濡毫。絕世風流，當場豪舉。**

譯文 剛剛寫好的曲子，歌童拿着牙板等待着被點唱；抓鬮的詩題剛打開，美人已經手捧硯臺等候揮毫潑墨了。這樣的情景，可以稱得上是絕世風流，當場豪舉。

原文 **石鼓池邊，小草無名可鬥；板橋柳外，飛花有陣堪題。**

譯文 在石鼓和水池旁邊，雖然不知道小草的名字，也可以進行鬥草這個遊戲；在石板橋和柳樹之間飛着柳絮，這也可以作爲吟詠的對象。

原文 **桃紅李白，疏籬細雨初來；燕紫鶯黃，老樹斜風乍透。**

譯文 桃花紅，李花白，蒙蒙的細雨透過稀疏的籬笆飄灑過來；紫色的燕子，黃色的鶯，一陣斜風透過蒼老的古樹吹拂而去。

原文 **窗外梅開，喜有騷人弄笛；石邊雪積，還須小妓烹茶。**

譯文 梅花開在窗外，令人驚喜的是詩人吹笛歌唱；石邊堆積着積雪，還需要小妓焚香烹茶。

原文 **高樓對月，鄰女秋砧；古寺聞鐘，山僧曉梵。**

譯文 在高樓上面對着明月，不時傳來鄰家女孩秋夜的搗衣聲；古寺中聽到鐘聲，原來是山僧在做早課。

原文 **佳人病怯，不耐春寒；豪客多情，猶憐夜飲。李太白之寶花宜障，光孟祖之狗竇堪呼。**

譯文 美人病後虛弱，耐不住春寒料峭；豪客情感豐富，尤其喜歡夜間喝酒。所以李白相見寵妃，應該設七寶花帳相隔，光孟祖在狗竇大叫，被呼入相見痛飲。

原文 **古人養筆以硫黃酒，養紙以芙蓉粉，養硯以文綾蓋，養墨以豹皮囊。小齋何暇及此！惟有時書以養筆，時磨以養墨，時洗以養硯，時舒卷以養紙。**

譯文 古人用硫磺酒保養筆；用芙蓉粉保養紙；用文綾蓋保養硯；用豹皮囊保養墨。我的書齋哪裏有條件做這些！衹好時常寫字以保養筆，常研墨以保養墨，常清洗以保養硯，時時舒展以保養紙。

原文 **芭蕉，近日則易枯，迎風則易破。小院背陰，半掩竹窗，分外青翠。**

譯文 芭蕉在炎熱的太陽下容易枯萎，在迎風的地方容易被風吹破。小院處於背陰的地方，芭蕉葉掩着竹窗，顯得格外青翠。

原文 **歐公香餅，吾其熟火無煙；顔氏隱囊，我則鬥花以布。**

譯文 歐陽修所記載的是香餅石炭，我用的卻是無煙的深紅火炭；顔之推所記載的是斑絲隱囊，我用的卻是用碎花布拼的枕頭。

原文 **梅額生香，已堪飲爵；草堂飛雪，更可題詩。七種之羹，呼起袁生之卧；六生之餅，敢迎王子之舟。豪飲竟日，賦詩而散。佳人半醉，美女新妝。月下彈琴，石邊侍酒。烹雪之茶，果然剩有寒香；爭春之館，自是堪來花歎。**

譯文 梅額生香，可以作爲飲酒的談資；草堂飛雪，可以作爲吟詠的詩題。七寶羹，可以喚起僵卧的袁安；六瓣的雪花，敢迎王子猷的小舟。豪飲一天，賦完詩就散了。佳人半醉，美女剛梳妝。或在月下彈瑟，或在石邊奉酒。用雪水點的茶，有寒烈的香氣；白花盛開的館舍，肯定會爲落花、流水歎息的。

原文 **黄鳥讓其聲歌，青山學其眉黛。**

譯文 佳人唱歌婉轉連黄鶯都來學習；美女畫眉像山黛，連青山也跟着效仿。

原文 **淺翠嬌青，籠煙惹濕。清可漱齒，曲可流觴。**

譯文 小溪淺翠清澈，籠罩在濕潤的霧靄中。它的清香可以漱口，曲折可以流觴。

原文 **風開柳眼，露浥桃腮，黄鸝呼春，青鳥送雨，海棠嫩紫，芍藥嫣紅，宜其春也。碧荷鑄錢，綠柳繅絲，龍孫脫殼，鳩婦喚晴，雨驟黄梅，日蒸綠李，宜其夏也。槐陰未斷，雁信初來，秋英無言，曉露欲結，蓐收避席，青女辦妝，宜其秋也。桂子風高，蘆花月老，溪毛碧瘦，山骨蒼寒，千巖見梅，一雪欲臘，宜其冬也。**

譯文 風吹開柳眼，露打濕桃腮，黄鸝呼喚春信，青鳥送來細雨，嫩海棠

泛着紫色，芍藥鮮艷發紅，這些是適宜春天的景象。碧綠的荷葉剛生的時候像銅錢，綠色的柳枝像絲一樣軟，竹筍剛破殼，鵓鳩喚來晴天，驟雨來了，梅子熟了，太陽炎熱，李子發青，這些是適宜夏天的景象。槐樹的陰影還在，大雁的叫聲剛來，秋天的落花悄悄落下，清晨凝結着露水，秋神馬上要離開，霜雪之神裝扮着要出場，這些是適宜秋天的景象。寒風中桂樹搖曳，月光下蘆花白了，溪水中的水藻開始衰敗，山上的巖石蒼茫寒冷，石峰間梅花開放，一場雪之後就到了臘月，這些是適宜冬天的景象。

原文 **風翻貝葉，絕勝北闕除書；水滴蓮花，何似華清宮漏！**

譯文 風翻動佛經，絕對比皇宮授官的詔令還驚人；水滴在蓮花上，多麼像華清宮的漏聲！

原文 **畫屋曲房，擁爐列坐；鞭車行酒，分隊征歌；一笑千金，樗蒲百萬；名妓持箋，玉兒捧硯；淋漓揮灑，水月流虹；我醉欲眠，鼠奔鳥竄；羅襦輕解，鼻息如雷。此一境界，亦足賞心。**

譯文 在雕梁畫棟的屋裏和深邃的房中，圍着火爐坐着；轉圈行酒令，分隊賽歌；一笑值千金，一博值百萬；身邊有名妓拿紙，小童捧硯；盡情揮

灑，好像水中明月、天上彩虹；等到酒醉快睡時都散去了，絲綢的短衣剛剛解開，已經鼾聲如雷，進入夢鄉。這樣的境界真可謂舒暢。

原文 **柳花燕子，貼地欲飛，畫扇練裙，避人欲進，此春遊第一風光也。**

譯文 柳絮和燕子貼着大地飛行，手拿畫扇、身穿白衣的佳人，既想躲避人群，又想前去玩耍，這是春遊的第一風光。

原文 **花顏縹緲，欺樹裏之春風；銀焰熒煌，卻城頭之曉色。**

譯文 花的容顏縹緲，勝過樹間的春風，銀色的火焰忽明忽暗，遮蓋了城頭的晨曦。

原文 **烏紗帽挾紅袖登山，前人自多風致。**

譯文 身居要職還攜帶美女登山郊遊，前人多了一段風流情致。

原文 **筆陣生雲，詞鋒捲霧。**

譯文 揮筆成陣，頓生雲氣；言辭鋒利，捲起了霧靄。

原文 **楚江巫峽半雲雨，清簟疏簾看弈棋。**

譯文 巫峽之上一會烏雲密佈，一會細雨綿綿；在清涼的竹席上打坐，隔着稀疏的簾子觀看下棋。

原文 **美豐儀人，如三春新柳，濯濯風前。**

譯文 風姿俊美的人的姿態，像三春的柳樹，臨風更顯清朗。

原文 **澗險無平石，山深足細泉；短松猶百尺，少鶴已千年。**

譯文 險峻的山澗沒有平坦的石頭，幽深的山巒到處都是細細的泉水；即使低矮的松樹也有百尺那麼高，即使年少的仙鶴也已經上千歲了。

原文 **梅花舒兩歲之裝，柏葉泛三光之酒。飄搖餘雪，入簫管以成歌；皎潔輕冰，對蟾光而寫鏡。**

譯文 梅花舒展着新年和舊歲的裝扮，用匯集了日月星三光精華的柏葉浸酒。殘雪在空中飄搖，進入簫管，譜寫一曲歌謠；薄冰皎潔，在月光之下，宛如一面鏡子。

原文 **鶴有累心猶被斥，梅無高韻也遭刪。**

譯文 鶴如果爲凡心所累會遭受斥責，梅如果沒有高潔的韻致也會遭受遺棄。

原文 **分果車中，畢竟借人家面孔；捉刀床側，終須露自己心胸。**

譯文 分果車中，衹是完全有賴於一張面孔；捉刀床側，最終所顯露的還是自己的精神面貌。

原文 **雪滚花飛，繚繞歌樓，飄撲僧舍，點點共酒旆悠揚，陣陣追燕鶯飛舞。沾泥逐水，豈特可入詩料？要知色身幻影，是即風裏楊花、浮生燕壘。**

譯文 雪花飛舞，落花飛散，在歌樓外繚繞，飄落在僧人的門前，雪花和酒旗一起飛揚，落花陣陣追啄着燕鶯。終究還是要落在地上沾上污水，這樣的情景，難道衹是入詩的題材嗎？須記住色即是空，這樣的幻影衹是風中的楊花、浮生寄於燕巢，是沒有根底的。

原文 **水綠霞紅處，仙犬忽驚人，吠入桃花去。**

譯文 在綠水環繞、紅霞籠罩的仙境，仙犬嚇人一跳，叫着跑到桃花深處。

原文 **九重仙詔，休教丹鳳銜來；一片野心，已被白雲留住。**

譯文 不可以讓丹鳳銜來九重天上玉皇大帝的詔書；飄蕩的心已經被悠悠的白雲給鎖住了。

原文 **香吹梅渚千峰雪，清映冰壺百尺簾。**

譯文 清風從梅渚吹來，使得千峰堆雪；清光從月宮中照下來，像百尺的巨簾。

原文 **避客偶然拋竹屨，邀僧時一上花船。**

譯文 躲避遊客掉了竹鞋，邀請僧人偶然上了花船。

原文 **到來都是淚，過去即成塵。秋色生鴻雁，江聲冷白蘋。**

譯文 到來的都是淚水，過去的便成了煙塵。秋色肅殺，鴻雁悲鳴，江水滔滔，白蘋清冷。

原文 **鬥草春風，才子愁銷書帶翠；採菱秋水，佳人疑動鏡花香。**

譯文 春風和煦，才子在野外進行鬥草，把冬天的沉鬱都拋在滿眼書帶草中了；秋水宜人，佳人在水面上划船採摘菱角，清澈的水面蕩起漣漪，仿佛有人動了梳妝的鏡臺。

原文 **竹粉映琅玕之碧，勝新妝流媚，曾無掩面於花宮；花珠凝翡翠之盤，雖什襲非珍，可免探頷於龍藏。**

譯文 竹子在竹粉的掩映下格外青翠，勝過新裝的流媚，在花宮裏不曾掩面；花珠凝結在翡翠盤中，即使是珍重收藏的非貴重之物，也可以免於龍宮採頷取珠。

原文　**因花整帽，借柳維船。**

譯文　用花來裝飾帽子，借柳樹泊船。

原文　**繞夢落花消雨色，一尊芳草送晴曛。**

譯文　夢中縈繞的落花沒有了雨色，一片芳草送來了日光的照射。

原文　**爭春開宴，罷來花有歡聲；水國談經，聽去魚多樂意。**

譯文　在百花齊放的花叢中開宴，宴席散後，花也發出歡息的聲音；在水鄉中談經，魚也樂在其中。

原文　**無端淚下，三更山月老猿啼；驀地嬌來，一月泥香新燕語。**

譯文　沒理由地流淚，因爲是三更的時候山中的老猿在淒涼地叫；忽然有嬌聲傳來，原來是燕子銜着泥土在低語。

原文　**燕子剛來，春光惹恨；雁臣甫聚，秋思慘人。**

譯文　燕子剛飛回來，滿眼的春光惹得人眼花繚亂；雁臣匯集京都，秋天的肅殺讓人悲涼。

原文　**韓嫣金彈，誤了飢寒人多少奔馳；潘嶽果車，增了少年人多少顏色。**

譯文　韓嫣用金丸彈雀，耽誤了多少奔波在長安的少年的抱負；潘嶽每次都得擲果滿車，增添了多少洛陽少年的風采。

原文　**微風醒酒，好雨催詩，生韻生情，懷頗不惡。**

譯文　微風可以醒酒，好雨可以催發詩情，從而生發韻味和情趣，使人胸懷美好的感覺。

原文　**苧蘿村裏，對嬌歌豔舞之山；若耶溪邊，拂濃抹淡妝之水。**

譯文　走進苧蘿村裏，面對當初西施嬌歌豔舞的青山；來到若耶溪邊，拂一拂西施當初濃抹淡妝的水。

原文　**春歸何處，街頭愁殺賣花；客落他鄉，河畔生憎折柳。**

譯文　春天去了哪裏，愁殺了街頭的賣花人；客人流落他鄉，開始憎恨那些折柳送別的人。

原文　**論到高華，但說黃金能結客；看來薄命，非關紅袖懶撩人。**

譯文　談到名門望族，衹說是黃金能夠聚集賓客；看來命相不好，不衹是紅袖美色的誘惑。

書香傳家

送別

原文 **同氣之求，惟刺平原於錦繡；同聲之應，徒鑄子期以黃金。**

譯文 同氣相求，祇好用絲綢來刺繡平原君的畫像；同聲相應，祇好用黃金來澆鑄鍾子期的肖像。

原文 **胸中不平之氣，說倩山禽；世上叵測之心，藏之煙柳。**

譯文 把胸中的不平之氣，說給山中的飛禽聽；把世上的叵測機巧，都埋藏到煙雨柳林中吧。

原文 **袪長夜之惡魔，女郎說劍；銷千秋之熱血，學士談禪。**

譯文 美女說劍，藉以袪除如同惡魔的慢慢長夜；書生談禪，藉以淡泊追求千秋功名的熱血。

原文 **論聲之韻者，曰溪聲、澗聲、竹聲、松聲、山禽聲、幽壑聲、芭蕉雨聲、落花聲，皆天地之清籟，詩壇之鼓吹也，然銷魂之聽，當以賣花聲爲第一。**

譯文 談論聲音的韻味，有溪流聲、山澗聲、竹鳴聲、松濤聲、山禽的叫聲、幽壑風鳴聲、芭蕉打雨聲、落花聲，這些都是天地間清新的聲音，是詩壇的鼓吹樂曲，但是聽起來最讓人銷魂的、能稱得上第一的，是小巷裏的賣花聲。

原文 **石上酒花，幾片濕雲凝夜色；松間人語，數聲宿鳥動朝喧。**

譯文 坐在石頭上飲酒賞花，幾片潮濕的雲朵把夜色給凝住了；松樹間傳來了人們歡笑的聲音，幾聲棲息在樹間的小鳥的叫聲把清晨的喧鬧給攪動起來了。

原文 **媚字極韻，但出以清致，則窈窕俱見風神，附以妖嬈，則做作畢露醜態。如芙蓉媚秋水，綠筱媚清漣，方不着跡。**

譯文 媚這個字是非常富有韻味的，衹要能夠把其中清雅的韻致表現出來，那麼就可以說是文靜美好的，則風韻神情都能顯現出來，如果再加上嬌嬈妖艷的話，那麼就會顯得做作，醜態畢露了。衹有像秋水中的荷花一樣妖艷，像清漣裏的綠竹一樣嫵媚，這樣纔不會着一點世俗的痕跡。

原文 **武士無刀兵氣，書生無寒酸氣，女郎無脂粉氣，山人無煙霞氣，僧家無香火氣，換出一番世界，便爲世上不可少之人。**

譯文 武士沒有兵刀的氣色，書生沒有寒酸的神色，女孩身上沒有脂粉的氣味，隱士身上沒有煙霞的氣韻，和尚身上沒有香火的氣味，這樣換出一番新的境界，那就可以成爲世界上不可缺少的人。

原文 **情詞之嫻美，《西廂》以後，無如《玉合》《紫釵》《牡丹亭》三傳，置之案頭，可以挽文思之枯澀，收神情之懶散。**

譯文 言情之詞的優雅嫻美，在《西廂記》出現以後，沒有能比《玉合記》《紫釵記》《牡丹亭》這三種傳奇更好的了，把這些書放在案頭，可以挽救文思的枯萎，收束懶散的神情。

原文 **俊石貴有畫意，老樹貴有禪意，韻士貴有酒意，美人貴有詩意。**

譯文 美石的可貴之處在於上面含有畫的意境，老樹的可貴之處在於有禪意，詩人的可貴之處在於有酒意，美人的可貴之處在於有詩意。

原文 **紅顏未老，早隨桃李嫁春風；黃卷將殘，莫向桑榆憐暮景。**

譯文 不要等到紅顏老去，而應該像桃花梨花那樣隨着春風而去般趁早出嫁；書生已經飽讀詩書，要趁着好時機趕緊進入仕途，不要等到晚年再來哀嘆暮景的凄慘。

原文 **銷魂之音，絲竹不如著肉。然而風月山水間，別有清魂銷於清響，即子晉之笙，湘靈之瑟，董雙成之雲璈，猶屬下乘。嬌歌豔曲，**

不盡混亂耳根。

【譯文】說到令人銷魂的音樂，絲竹管弦所演奏出來的音樂不如從人們喉舌發出的歌聲更動聽。然而大自然中的風花雪月、山水的清音，比這還多一份清幽，能銷人魂魄，相比之下，即使王子喬所吹的笙，湘水女神所鼓的瑟，董雙成的雲璈，還要遜色很多。更別說那些庸俗的嬌歌艷曲，根本就不能算入流，不應該拿來混淆人們的聽覺。

【原文】**風驚蟋蟀，聞織婦之鳴機；月滿蟾蜍，見天河之弄杼。**

【譯文】風聲把蟋蟀驚醒了，發出了鳴叫，讓人覺得仿佛聽到了織女織布的聲音；月光灑滿了整個宇宙，仿佛能夠看到織女在天河中擺弄織布機。

【原文】**高僧筒裏送信，突地天花墜落；韻妓扇頭寄畫，隔江山雨飛來。**

【譯文】高僧用玉筒送信，忽然間天花紛紛墜落；韻妓用扇子寄託詩畫，山雨隔江飛來。

【原文】**酒有難懸之色，花有獨蘊之香，以此想紅顏媚骨，便可得之格外。**

【譯文】酒有難以結束的本色，花有獨自蘊蓄的芳香，據此思量紅顏媚骨，則會有另外的收獲。

【原文】**客齋使令，翔七寶妝，理茶具，響松風於蟹眼，浮雪花於兔毫。**

【譯文】在客齋中行令的侍者，梳洗起七寶蓮花的裝束，爲主人整理好烹茶的器具，烹茶的時候，等到水發出松風的聲音，泛起像蟹眼那樣的氣泡時，就開始點湯擊沸，分給客人品嘗，兔毫盞中浮起雪花一樣的沫。

【原文】**每到日中重掠鬢，衩衣騎馬繞宮廊。**

【譯文】每當到了正午就重新整理好鬢髮，穿上便服騎馬繞着皇宮中長廊奔跑。

【原文】**絕世風流，當場豪舉。世路既如此，但有肝膽向人；清議可奈何，曾無口舌造業。**

【譯文】絕世的風流姿色，當場的豪放之舉。人間的世故本來就是這樣的，衹要對待別人是真心實意的；社會輿論又能讓人如何，衹要自己在說話的時候沒有惹禍就行了。

原文 **花抽珠漸落，珠懸花更生。風來香轉散，風度焰還輕。**

譯文 花朵綻放，上面的露珠就掉落了，露珠接連不斷，花朵就會更有生機。微風把花朵散發出來的香氣吹散了，衹要風兒一吹過，焚着的香燭的火焰依然會輕輕地跳動。

原文 **瑩以玉琇，飾以金英；綠芰懸插，紅蕖倒生。**

譯文 用晶瑩的美玉來點綴，用金黄的鮮花來作爲裝飾；綠色的菱角在水裏飄蕩着，紅色的荷花倒着長在水裏。

原文 **浮滄海兮氣渾，映青山兮色亂。**

譯文 人衹要漂浮在蒼茫的大海之上，就會頓時感到大氣雄渾；映襯在青山綠水之間，就會讓人覺得色澤絢爛。

原文 **紛黄庭之靃靡，隱重廊之窈窕。青陸至而鶯啼，朱陽昇而花笑。紫蒂紅蕤，玉蕊蒼枝。**

譯文 紛亂的黄庭裏草木隨風披靡，坐在幽靜隱秘的重廊中的美女顯得更加文靜嬌美。在月光的照映下，黄鶯張開嗓子啼叫，太陽昇起來花兒含着微笑。紫色的花蒂，紅色的花朵，花蕊潔白如玉，樹枝翠綠蒼勁。

原文 **視蓮潭之變彩，見松院之生涼；引鶯蟬於寶瑟，宿蘭燕於瑤筐。**

譯文 看見蓮花池變換了色彩，發現栽有松樹的庭院中漸生涼意；彈起了寶瑟吸引受驚的蟬兒，將蘭燕放置在瑤筐裏。

原文 **蒲團布衲，難於少時存老去之禪心；玉劍角弓，貴於老時任少年之俠氣。**

譯文 蒲團與布衲，年少時難有老成之禪心；玉劍和角弓，老來有率性之眞是極爲可貴的。

法

【原文】**自方袍幅巾之態，遍滿天下，而超脫穎絕之士，遂以同汙合流矯之，而世道不古矣。夫迂腐者，既泥於法，而超脫者，又越於法，然則士君子亦不偏不倚，期無所泥越則已矣，何必方袍幅巾？作此迂態耶！集法第十一。**

【譯文】自從那些穿着僧袍、束着方巾的道學先生的打扮在社會上流行起來之後，那些超凡脫俗、聰明絕頂的士人，就逐漸地同流合汙了，而且世道也越來越衰微了，人心已經發生了很大的改變。那些迂腐的人還是被傳統的禮法所束縛着，而那些超脫的人又反過來破壞這禮法，既然這樣，那麼那些眞正有道德的人也就可以做到不偏不倚，期望既不逾越禮法，又不受約束，爲什麼還要穿僧袍、束方巾，作一派世俗的打扮呢？這樣做眞是迂腐啊！於是編撰了第十一卷《法》。

【原文】**世無乏才之世，以通天達地之精神，而輔之以拔十得五之法眼。**

【譯文】世上並不缺乏人才，衹要憑借通天達地的選拔精神和拔十得五的慧眼，就能獲得人才。

【原文】**一心可以交萬友，二心不可以交一友。**

【譯文】做人衹要一心一意，就能有成千上萬的朋友；要是三心二意的話，那麼就會連一個朋友都交不到。

【原文】**凡事，留不盡之意則機圓；凡物，留不盡之意則用裕；凡情，留不盡之意則味深；凡言，留不盡之意則致遠；凡興，留不盡之意則趣多；凡才，留不盡之意則神滿。**

【譯文】衹要在做事的時候，給自己留出足夠的退路，那麼就會機巧圓滿；衹要在用東西的時候，留下足夠的餘地，那麼就會寬裕很多；對於情感也是這樣的，衹要留下足夠的餘地，那麼感情就會意味深長；說話也是這樣的，要是在說話的時候，爲自己留有餘地的話，就會達到長久的目標；對於興致也是這樣的，要是留下足夠的餘地的話，就會得到無窮的趣味；對於才智，要是留下足夠的餘地的話，那麼精神就會永遠處於飽滿的狀態。

【原文】**有世法，有世緣，有世情。緣非情，則易斷；情非法，則易流。**

【譯文】人間有世俗的法則，也有世事因緣，有世態人情。要是世事因緣不符合世事人情的話，人和人之間就會出現斷交的情況；要是世事人情不符合世俗法則的話，人就容易流於世俗，變得放縱。

原文 **世多理所難必之事，莫執宋人道學；世多情所難通之事，莫說晉人風流。**

譯文 世界上存在着很多難以按照常理去做的事情，所以不要被宋朝人的理學規範所束縛了；世界上有很多事情難以聽任性情行事，所以對於晉朝的風流閑談沒有必要去效仿。

原文 **與其以衣冠誤國，不若以布衣關世；與其以林下而矜冠裳，不若以廊廟而標泉石。**

譯文 與其占據着高位，沒有什麼眞才實學而貽誤國家大事，倒不如做一名老百姓，以布衣的身份關心國家大事；與其歸隱山林，靠這種方式來誇耀自己的身份，博取功名，倒不如到朝廷上做官，標舉泉石的志向。

原文 **眼界愈大，心腸愈小；地位愈高，舉止愈卑。**

譯文 眼界越開闊，人的心胸往往會越小；地位越高，人的行爲往往會越卑劣。

原文 **少年人要心忙，忙則攝浮氣；老年人要心閑，閑則樂餘年。**

譯文 少年人一定要忙碌起來，衹要心忙起來，就會使浮躁的心氣得到收斂；老年人的心一定要足夠閑適，衹有做到內心閑適，纔能夠安享晚年。

原文 **晉人清談，宋人理學，以晉人遺俗，以宋人禔躬，合之雙美，分之兩傷也。**

譯文 晉朝的人都崇尚閑談，宋朝的人講求理學，要是能夠用晉人的清談來排遣世俗，用宋人的理學來安身立命的話，即把這兩者有機地結合在一起的話，那麼就會收到意想不到的好效果，要是分開來衹談一方面的話，就會兩敗俱傷，沒有好結果。

原文 **莫行心上過不去事，莫存事上行不去心。**

譯文 不要做內心過意不去的事情，不要存事理上說不通的想法。

原文 **忙處事爲，常向閑中先檢點；動時念想，預從靜裏密操持。青天白日處節義，自暗室屋漏處培來；旋轉乾坤的經綸，自臨深履薄處操出。**

譯文 在忙碌的時候做的事情，一定要在閑下來的時候再仔細地去想一想，首先要自我檢點；在行動的時候出現的念頭和想法，一定要在清靜的時候嚴格地去辦。青天白日中表現出來的節操和行爲，是在處境非常惡劣的時候，內心裏存在着畏懼小心的時候培養出來的；扭轉乾坤的治國方略，是在如臨深淵、如履薄冰的謹慎的心態中磨煉出來的。

原文 **以積貨財之心積學問，以求功名之念求道德，以愛子女之心愛父母，以保爵位之策保國家。**

譯文 像積累財富那樣去積累學問，像追求功名那麽熱烈地追求道德，像對待妻子兒女一樣孝敬父母，像保全自己的爵位一樣處心積慮地保衛國家。

原文 **才智英敏者，宜以學問攝其躁；氣節激昂者，當以德性融其偏。**

譯文 有敏捷的才智的人，應該用學問收斂其浮躁之氣；有激昂的氣節的人，應該用德行包容其偏執。

原文 **何以下達？惟有飾非；何以上達？無如改過。**

譯文 小人是如何做到向下求得通達的呢？他們衹是掩飾自己的過錯罷了；君子是怎麽做到向上通達的呢？他們寧願選擇改正過失。

原文 **一點不忍的念頭，是生民生物之根芽；一段不爲的氣象，是撑天撑地之柱石。**

譯文 有一點不忍之心的念頭，足以使人民得到教化、萬物得以生長根芽；至於那清淨無爲的氣象，是可以作爲頂天立地、經邦濟世的柱石的。

原文 **君子對青天而懼，聞雷霆而不驚；履平地而恐，涉風波而不疑。**

譯文 君子要是面對青天的時候有畏懼的心理，那麽他們在聽到雷霆的聲音時就不會感到害怕；要是在腳踏上平地的時候還有一份畏懼，那麽他們在遇到風波的時候就能夠做到不疑不惑。

原文 **意防慮如撥，口防言如遏，身防染如奪，行防過如割。**

譯文 防止意念亂想就好像撥動山脈一樣，防止胡亂說話就好像防止洪流一樣謹慎，防止身體不受到污染就好像防止被奪去生命一樣小心謹慎，對於自己的行爲，防止出現過失一定要像防止被割肉一樣小心翼翼。

原文 **白沙在泥，與之俱黑，漸染之習久矣；他山之石，可以攻玉，切磋之力大焉。**

譯文　白色的沙粒掉到泥潭裏面去了，會和泥巴一起變成黑色，這是因爲白沙長期受到泥巴的浸染的緣故；他山的石頭，可以拿來打磨玉石，這是因爲石頭對玉石整天切磨的緣故。

原文　**後生輩胸中，落意氣兩字，有以趣勝者，有以味勝者。然寧饒於味，而無饒於趣。**

譯文　至於那些晚輩後生，他們的心裏早已經沒有意氣這兩個字了，有的人追求情趣，他們的情趣過人；有的人追求韻味，他們的韻味過人。他們寧願以韻味取勝，也不願情趣盎然。

原文　**芳樹不用買，韶光貧可支。**

譯文　芳香的花草樹木根本不需要專門去買，隨處都可以看到；美好的春光和年華，即使貧窮也可以享受到。

原文　**寡思慮以養神，剪欲色以養精，靖言語以養氣。**

譯文　做人一定要少考慮問題來修養自己的精神，消除內心的欲望來頤養自己的精力，立容安靜來涵養自己的精氣。

原文　**立身高一步方超達，處世退一步方安樂。**

譯文　安身立命，衹有高人一步，纔能夠達到超脫通達；爲人處世，衹有退讓一步，纔能夠平安快樂。

原文　**士君子貧不能濟物者，遇人癡迷處，出一言提醒之，遇人急難處，出一言解救之，亦是無量功德。**

譯文　士人君子如果因爲貧窮而不能拿財物接濟別人的話，那麼在別人糊塗的時候，說一句提醒的話，在別人處於危難之時，說一句解救的話，也是功德無量了。

原文　**是非邪正之交，少遷就則失從違之正；利害得失之會，太分明則起趨避之嫌。**

譯文　是與非、正與邪的交往，如果稍有遷就就失去了遵從和違背的原則；利與害、得與失的相交，要是利害過於分明的話，就會顧及利害關係，產生私心雜念。

原文　**事繫幽隱，要思回護他，著不得一點攻訐的念頭；人屬寒微，要思矜禮他，著不得一毫傲睨的氣象。**

譯文　要是涉及不適合公開的隱私，就要考慮如何纔能加以維護，不要有任何對別人加以報復、揭發的念頭；要是別人出身貧寒、地位低下，就要考慮怎樣做纔能體恤、禮待他們，不能對他們表現出一點傲慢。

原文 **毋以小嫌而疏至戚，勿以新怨而忘舊恩。**

譯文 不要因爲一點小的誤會就疏遠至親的人，也不要因爲一點新添的怨恨就把往日裏別人對你的恩惠給忘記了。

原文 **禮義廉恥，可以律己，不可以繩人。律己則寡過，繩人則寡合。**

譯文 禮、儀、廉、恥這些東西是用來約束自己的，不是拿來約束別人的。要是拿這些東西來約束自己的話，自己就會少犯錯誤；要是拿這些東西來約束別人的話，就不能和別人搞好團結。

原文 **凡事韜晦，不獨益己，抑且益人；凡事表暴，不獨損人，抑且損己。**

譯文 凡事都要學會韜光養晦，這樣做不僅對自己有好處，對別人也有好處；要是把每件事情都表露出來，急於展示自己的話，受到傷害的不僅僅是別人，還有自己。

原文 **爵位不宜太盛，太盛則危；能事不宜盡畢，盡畢則衰。**

譯文 官職不應該過於顯赫，要是太顯赫的話，就會有危險出現；對於自己擅長的事情也不應該窮盡力量去做，要是什麼事情都要窮盡力量去做的話，就會使自己走向衰落。

原文 **從師延名士，鮮垂教之實益；為徒攀高第，少受誨之真心。**

男子有德便是才，女子無才便是德。

譯文 請名流來做自己的老師，很少能夠得到他親自來教誨的益處；爲了攀上高門大族而做了人家的弟子，這樣的人很少有接受教育的真誠用心。

對於男子來說，祇要擁有優秀的品德，那麼也就可以說他們是有才能的；對於女子來說，她們沒有什麼才能就是她們的優秀品德了。

原文 **病中之趣味，不可不嘗；窮途之景界，不可不歷。**

譯文 疾病纏身的滋味，不能不去嘗試一下；窮途末路的境界，不能不親自經歷一次。

原文 **才人國士，既負不群之才，定負不羈之行，是以才稍壓眾則忌心生，行稍違時則側目至。死後聲名，空譽墓中之骸骨；窮途潦**

倒，誰憐宮外之蛾眉？**

譯文　作爲國家的棟梁之材，既然自身有很多超過一般人的優秀才能，那麼他們的行爲也一定是豪放不羈的，因此，衹要才能超過衆人，那麼別人就會猜忌他們，衹要其行爲稍微不合世俗，那麼衆人一定會對他側目而視。這些人死後的名聲，對於墳墓中的骸骨而言，是徒勞的；如果一旦到了窮途末路的時候，誰還會可憐那些被趕出宮的宮女呢？

原文　**貴人之交貧士也，驕色易露；貧士之交貴人也，傲骨當存。**

譯文　富貴的人和貧寒的人相來往，容易對別人顯示出驕傲的神色；貧寒的人和性情高貴的人相交往，應該在內心裏存一份傲骨。

原文　**君子處身，寧人負己，己無負人；小人處事，寧己負人，無人負己。**

譯文　君子爲人處事，寧可別人辜負自己，也不要自己辜負別人；小人爲人處世，寧可讓自己辜負別人，也不願意自己被別人辜負了。

原文　**硯神曰淬妃，墨神曰回氏，紙神曰尚卿，筆神曰昌化，又曰佩阿。**

譯文　把硯神稱爲淬妃，把墨神稱爲回氏，把紙神稱爲尚卿，把筆神稱爲昌化，又把它稱爲佩阿。

原文　**要治世，半部《論語》；要出世，一卷《南華》。**

譯文　要治理國家，衹要半部《論語》就足夠了；要出世修道，一卷《南華》就足夠了。

原文　**禍莫大於縱己之欲，惡莫大於言人之非。**

譯文　再也沒有比放縱自己的私欲更大的禍患了，再也沒有比談論別人的是非更大的罪惡了。

原文　**求見知於人世易，求真知於自己難；求粉飾於耳目易，求無愧於隱微難。**

譯文　要想被世人知道是很容易的一件事情，但是想眞正瞭解自己是很難的一件事情；要想掩蓋自己的過錯，遮掩別人的耳目是很容易的一件事情，但是要想做到每件小事都問心無愧，卻是很難的一件事情。

原文　**聖人之言，須常將來眼頭過，口頭轉，心頭運。**

譯文　聖人說過的話，一定要經常拿來用眼睛看上幾眼，用口說一說，用心來想一想。

原文 **與其巧持於末，不若拙戒於初。**

譯文 與其在事情快要結束的時候纔開始賣弄自己的才能和小聰明，倒不如在事情剛剛開始的時候就用愚拙來告誡自己。

原文 **君子有三惜：此生不學，一可惜；此日閑過，二可惜；此身一敗，三可惜。**

譯文 有德行的君子最可惜的三件事就是：第一件是這一輩子不學習；第二件是今天碌碌無爲、虛度日子；第三件是這輩子一敗塗地。

原文 **晝觀諸妻子，夜卜諸夢寐。兩者無愧，始可言學。**

譯文 白天裏通過妻子、兒女的反應來觀察，晚上通過對照夢中的言行來觀察。用這兩種方式來檢點自己，要是都問心無愧的話，那麼纔能稱得上修身學習。

原文 **士大夫三日不讀書，則禮義不交，便覺面目可憎，語言無味。**

譯文 士大夫要是三天不讀書的話，在和世人交往的時候就不能嚴格按照禮儀規範來做了，會覺得自己面目可憎，言語缺少生氣。

原文 **與其密面交，不若親諒友；與其施新恩，不若還舊債。**

譯文 和那些不是真心相交的朋友親密交往，不如和爲人正直的人交往；與其說是向別人施捨新的恩惠，不如視爲一個舊的債務來償還。

原文 **士人當使王公聞名多而識面少，寧使王公訝其不來，毋使王公厭其不去。**

譯文 作爲一個讀書人，應該使自己的名聲經常被那些王公貴族聽到，但是不要和他們經常交往，寧願讓那些王公貴族感到驚訝也不要和他們輕易見面，不要讓王公貴族因爲你的不願意離開而討厭不已。

原文 **見人有得意事，便當生忻喜心；見人有失意事，便當生憐憫心：皆自己真實受用處。忌成樂敗，徒自壞心術耳。**

譯文 看見別人有得意的事情，自己也應該爲此感到高興；看到別人有不如意的事情，一定要對他們表示同情：這都是自己的真情實感。要是嫉妒別人的成功，對別人的失敗幸災樂禍，那麼就會讓自己變得心術不正。

原文 **恩重難酬，名高難稱。**

譯文 要是接受別人的恩惠太多的話，就難以報答了；要是聲名太高的話，就會難以和自己的行爲相稱。

原文 **待客之禮，當存古意，止一雞一黍，酒數行，食飯而罷，以此爲法。**

譯文 至於接待賓客的禮節，應該保存古人的風氣，殺一隻雞、做一頓米飯就夠了，喝幾巡酒，吃完飯就算結束了，按照這樣去做就足夠了。

原文 **處心不可著，著則偏；作事不可盡，盡則窮。**

譯文 自己的居心不應該執着，要是太執着的話，就容易變得偏執；做事情不可以做得太絕，要是做絕了的話，就沒有後退的路了。

原文 **士人所貴，節行爲大。軒冕失之，有時而復來；節行失之，終身不可得矣。**

譯文 士人最可寶貴的是氣節操守。如果失去了官爵和祿位，還可以有一天再得到；但是氣節操守一旦失去了，這一輩子也不可能再找回來。

原文 **勢不可倚盡，言不可道盡，福不可享盡，事不可處盡，意味偏長。**

譯文 權勢不可以長期依仗，話不可以都說完，福氣不可以享盡，事情也不可以做絕，這幾句短短的話，眞是意味深長，耐人尋味。

原文 **靜坐然後知平日之氣浮，守默然後知平日之言躁，省事然後知平日之心忙，閉戶然後知平日之交濫，寡欲然後知平日之病多，近情然後知平日之念刻。**

譯文 祇有在安然靜坐的時候，纔知道自己平時是很心浮氣躁的；祇有在閉口不說話的時候，纔知道自己平時是很焦躁的；祇有在淸閑的時候，纔知道自己平日裏是怎樣煞費苦心的；祇有在閉門謝客的時候，纔知道自己平日裏的交往過於泛濫了；祇有當自己能夠眞正做到淸心寡欲的時候，纔明白平時壞毛病太多；祇有在接近人情的時候，纔知道自己平日裏存在刻薄的念頭。

原文 **喜時之言多失信，怒時之言多失體。**

譯文 在高興的時候所說的話多數不可信，在生氣的時候所說的話很不得體。

原文 **泛交則多費，多費則多營，多營則多求，多求則多辱。**

譯文 要是交朋友過於廣泛的話，那麼平時的花費就會很多；要是花費過多的話，就需要多方經營；要是多方經營的話，就會不得不多方追求；要是不得不多方追求的話，就會受到屈辱。

原文 **一字不可輕與人，一言不可輕語人，一笑不可輕假人。**

譯文 即使是一個不起眼的字，也不能輕易贈給別人；即使是一句無關緊要的話，也不要輕易去指責別人；即使是一個笑臉，也不要輕易給別人。

原文 **正以處心，廉以律己，忠以事君，恭以事長，信以接物，寬以待下，敬以洽事，此居官之七要也。**

譯文 努力讓自己公正，要求自己廉潔，侍奉君主一定要忠誠，對待長輩要恭敬，待人接物一定要守信用，對待下屬一定要寬厚，從事政務一定要敬愛自己的工作，這是做官的七條重要準則。

原文 **聖人成大事業者，從戰戰兢兢之小心來。**

譯文 聖人之所以能夠成就大事業，是因爲他們一開始就能做到兢兢業業，謹慎小心。

原文 **酒入舌出，舌出言失，言失身棄。余以爲棄身不如棄酒。**

譯文 把酒喝進口中，往往把舌頭吐出來，舌頭一吐出來，說話往往就不

得體，說話一不得體的話，自身就被人所不屑了。所以我認爲與其拋棄自身還不如戒酒。

原文 **青天白日，和風慶雲，不特人多喜色，即鳥鵲且有好音。若暴風怒雨，疾雷幽電，鳥亦投林，人皆閉戶。故君子以太和元氣爲主。**

譯文 風和日麗，風和雲祥，不僅令人喜笑顏開，非常快樂，就連喜鵲也都叫得格外悅耳。如果遇到狂風怒雨，雷電交加，喜鵲都躲進樹林裏，人們也都關上窗戶。因此君子一定要保持一份沖和之氣。

原文 **胸中落意气兩字，則交遊定不得力；落騷雅二字，則讀書定不得深心。**

譯文 人的胸中要是缺少意氣這兩個字，那麼在交遊的時候一定不會得心應手；沒有騷雅這兩個字的話，那麼即使讀書也不會深入人的內心。

原文 **交友之先宜察，交友之後宜信。**

譯文 在想和這個人交朋友的時候，一定要事先對這個人進行考察瞭解，一旦結交了那麼就不要懷疑他，一定要信任他。

原文 **惟書不問貴賤貧富老少，觀書一卷，則增一卷之益；觀書一**

日，則有一日之益。

譯文　祇有讀書這件事是不分貴賤、貧富、老少的，讀一卷書，就有一卷的收益；讀一天書，就有一天的收益。

原文　**坦易其心胸，率真其笑語，疏野其禮數，簡少其交遊。**

譯文　在這個世界上要想爲人處事，就要讓自己內心坦蕩，沒有什麼私心，使自己的歡笑保持一份天眞，不受禮教約束，盡量使交遊簡潔、稀少。

原文　**好醜不可太明，議論不可務盡，情勢不可殫竭，好惡不可驟施。**

譯文　對於美醜，不可以過於分明；對於別人的議論，不能說得過於絕對；對於事情，不能不留任何餘地；對於事物的好惡，不能馬上表現出來。

原文　**不風之波，開眼之夢，皆能增進道心。**

譯文　沒有風就起波浪，白天裏睜着眼做夢，這些事情都能夠使人的頓悟能力增強。

原文　**開口譏誚人，是輕薄第一件，不惟喪德，亦足喪身。**

譯文　張嘴譏笑別人，這是一件非常輕薄的事情，不僅會喪失道德，也可能會導致家破人亡。

原文　**人之恩可念不可忘，人之仇可忘不可念。**

譯文　別人的恩惠一定不要忘記，一定要時刻記住；個人的仇恨一定要趕緊忘記，不要記在心上。

原文　**不能受言者，不可輕與一言，此是善交法。**

譯文　對於那些不願意接受別人意見的人，不要輕易對他進行勸告，這是一條善交之法。

原文　**君子於人，當於有過中求無過，不當於無過中求有過。**

譯文　君子對待別人的態度，應該在犯錯的人的身上找沒有錯誤的地方，而不是在沒有犯錯的人的身上刻意去找這個人的過錯。

原文　**我能容人，人在我範圍，報之在我，不報在我；人若容我，我在人範圍，不報不知，報之不知。自重者然後人重，人輕者由我自輕。**

譯文　我能寬容別人的話，那麼這個人就在我的範圍之內了，要不要求他報答，完全在於我；要是別人寬容了我，那麼我就在別人的範圍之內了，不報答別人，別人可能不知道，即使報答別人，別人也可能不知道。因此，自己尊重自己的人，別人往往也會尊重他們，別人輕視自己，往往是由於自己先輕視自己。

原文 **高明性多疏脫，須學精嚴；狷介常苦迂拘，當思圓轉。**

譯文 見識高遠的人大多是性情疏朗、不受約束的，這樣的人必須學會精細嚴謹的作風；孤傲耿直的人常常迂腐地受到禮教的束縛，這樣的人一定要學會變通。

原文 **性不可縱，怒不可留，語不可激，飲不可過。**

譯文 不可以放縱自己的性情，不可以保留自己的怒氣，說話不要過於偏激，飲酒不要過量。

原文 **紛擾固溺志之場，而枯寂亦槁心之地。故學者當棲心玄默，以寧吾真體；亦當適志恬愉，以養吾圓機。**

譯文 世間的紛紛擾擾固然消磨人的意志，而人內心裏的枯燥和寂寞也會使心靈枯槁。所以學者應該平心靜氣，使自己眞實的本體得到安寧；也應該順應自己的志趣，保持快樂，借這些使自己獲得脫俗的見解和圓通的機變。

原文 **待小人不難於嚴，而難於不惡；待君子不難於恭，而難於有禮。**

譯文 對待小人，對他們嚴格要求並沒有什麼難的，難的是不能憎恨他們；對待君子，內心保持一份恭恭敬敬並不難，難的是時時刻刻都以禮相待。

原文 **有一念而犯鬼神之忌，一言而傷天地之和，一事而釀子孫之禍者，最宜切戒。**

譯文 因爲自己的一個念頭而觸犯鬼神的忌諱，因爲一句話而傷害天地的和氣，因爲一件事情而給子孫後代帶來大禍，這些事情都是應當警惕的。

原文 **不實心，不成事；不虛心，不知事。**

譯文 要是做事情不眞心實意的話，就不能幹成大事情；要是不虛心向別人請教的話，就不能明白事理。

原文 **老成人受病，在作意步趨；少年人受病，在假意超脫。**

譯文 老年人容易受到詬病的地方在於亦步亦趨而不敢有所作爲；年輕人容易受到詬病的地方在於假裝超脫世俗。

原文 **為善有表裏始終之異，不過假好人；為惡無表裏始終之異，倒是硬漢子。**

譯文 做好事如果不能表裏如一、善始善終，不過是一個假好人；做壞事如果能表裏如一、始終不變，倒是一條硬漢子

原文 **入心處咫尺玄門，得意時千古快事。**

譯文 要是能夠進入人的內心深處的話，距離高深的境界也就衹有很短的距離了；要是處在得意會心的時候，就是千古以來最快樂的時候了。

原文 **《水滸傳》無所不有，卻無破老一事，非關缺陷，恰是酒肉漢本色。如此益知作者之妙。**

譯文 《水滸傳》所包含的事情無所不有，但是卻沒有毀壞老成人的話，這並不是這本書的缺陷，恰恰是酒肉好漢的本色。因此也能更加明白作者的良苦用心了。

原文 **世間會討便宜人，必是吃過虧者。**

譯文 世上善於占小便宜的人，必定是吃過虧的人。

原文 **書是同人，每讀一篇，自覺寢食有味；佛為老友，但窺半偈，轉思前境真空。**

譯文 書好像是志同道合者，每讀過一遍，就會覺得吃飯睡覺都有滋有味；佛就像是老朋友，衹要看上半句偈語，就會想到前世的一切都是虛空。

原文 **衣垢不湔，器缺不補，對人猶有慚色；行垢不湔，德缺不補，對天豈無愧心！**

譯文 衣服髒了不去清洗，器物殘缺了不去修補，在他人面前尚且有慚愧之色；行為很污穢卻不去清洗，道德殘缺卻不去修補，在青天面前難道就沒有羞愧心嗎！

原文 **天地俱不醒，落得昏沉醉夢；洪濛率是客，枉尋寥廓主人。**

譯文 要是天地還是處於一片混混沌沌的狀態，就可以昏昏沉沉地睡去，酣然入夢了；宇宙之間都是客人，沒有必要再尋找宇宙的主人。

原文 **老成人必典必則，半步可規；氣悶人不吐不茹，一時難對。**

譯文 老成持重的人一定會遵守典章規則，做任何事情都循規蹈矩；喜歡生悶氣的人正直，不欺軟怕硬，讓人難以應付。

原文 **重友者，交時極難，看得難，以故轉重；輕友者，交時極易，**

看得易，以故轉輕。

譯文　重視友情的人結交朋友非常難，因爲他們把交朋友看成是一件困難的事情，所以他們纔重視友情；輕視友情的人結交朋友非常容易，因爲他們把交朋友看成是一件容易的事情，所以他們一旦得到友情就不會再重視。

原文　**近以靜事而約己，遠以惜福而延生。**

譯文　就眼前來說，要以安靜無爲來約束自己；從長遠考慮，要珍惜幸福來延長自己的性命。

原文　**掩戶焚香，清福已具。如無福者，定生他想。更有福者，輔以讀書。**

譯文　把門關上，點起香來，清福已經具備了。要是這個人是一個沒有福分的人的話，他肯定會有其他的想法。要想得到更多福分的人，他除了閉上門點上清香之外，還應該讀點書。

原文　**國家用人，猶農家積粟。粟積於豐年，乃可濟饑；才儲於平時，乃可濟用。**

譯文　對於國家來說，選用和儲備人才就好比農民儲備糧食一樣。在豐年的時候多儲備一些糧食，饑年的時候就不會挨餓；平時國家多儲備一些人才，需要的時候就能隨時選用他們。

原文　**考人品，要在五倫上見。此處得，則小過不足疵；此處失，則衆長不足録。**

譯文　考察一個人的人品，一定要從君臣、父子、兄弟、夫婦、朋友這五方面的倫理關係上入手。要是在五倫上禮儀得體的話，那麼即使有一些小的過錯，也算不上什麼大毛病；要是在五倫上禮儀不恰當的話，即使這個人有很多長處，那麼也不値得任用。

原文　**國家尊名節，奬恬退，雖一時未見其效，然當患難倉卒之際，終賴其用。如祿山之亂，河北二十四郡皆望風奔潰，而抗節不撓者，止一顔真卿，明皇初不識其人。則所謂名節者，亦未嘗不自恬退中得來也，故奬恬退者，乃所以勵名節。**

譯文　國家尊崇名節操守，奬勵淡泊謙讓，雖然這些政策在短時間不會馬上見效，但是等到國家處於危難的時候，這些人的作用很快就會得到顯現。

例如唐朝出現的安史之亂，黃河以北的二十四郡的守將都望風逃跑了，而不屈服敢於對抗叛軍鋒芒的，祇有顏眞卿一個人，這個人在開始的時候唐明皇並不認識。這樣看來，所謂有名節操守的人，也未必不是從淡泊謙讓的那些人中來的，因此，國家獎勵淡泊明志，就是要激勵有名節操守的人。

原文 **志不可一日墜，心不可一日放。**

譯文 人的意志一天都不能消沉，人的心思一天也不能放縱。

原文 **辯不如訥，語不如默，動不如靜，忙不如閑。**

譯文 巧辯不如口拙，說話不如沉默，行動不如安靜，忙亂不如清閑。

原文 **以無累之神，合有道之器，宮商暫離，不可得已。**

譯文 把沒有掛礙的精神和具體事物中所蘊含的抽象的道理相結合，即使發出來的聲音不準，也不能停下來。

原文 **精神清旺，境境都有會心；志氣昏愚，處處俱成夢幻。**

譯文 要是精神清爽旺盛的話，一切事情隨時隨地都會會於心；要是志氣昏沉愚鈍的話，任何時候都不清醒，就像做夢一樣。

原文 **酒能亂性，佛家戒之；酒能養氣，仙家飲之。**余於無酒時學

行到水窮處，坐看雲起時

佛，有酒時學仙。

譯文 喝酒能擾亂人的性情，所以佛家主張戒酒；酒還能頤養人的氣血，所以仙家主張飲酒。於是我在沒酒的時候學佛，在有酒的時候學仙。

原文 **烈士不餒，正氣以飽其腹；清士不寒，青史以暖其躬；義士不死，天君以生其骸。總之手懸胸中之日月，以任世上之風波。**

譯文 忠烈的人從來都不會感到飢餓，因爲浩然正氣就能把他們的肚子給塡飽了；清貧的士人不會感到寒冷，因爲有浩瀚的青史來溫暖他們的身軀；節義的人不會死去，因爲他們公道的人心使他們的軀體能夠永垂不朽。總之，用手把內心裏的日月懸掛起來，就能夠經受住世上的驚濤駭浪的考驗。

原文 **孟郊有句云：「青山碾爲塵，白日無閑人。」于鄴云：「白日若不落，紅塵應更深。」又云：「如逢幽隱處，似遇獨醒人。」王維云：「行到水窮處，坐看雲起時。」又云：「明月松間照，清泉石上流。」皎然云：「少時不見山，便覺無奇趣。」每一吟諷，逸思翩翩。**

譯文 唐朝詩人孟郊有這樣一句詩：「青山碾爲塵，白日無閑人。」于鄴也有一首詩說：「白日若不落，紅塵應更深。」他還說：「如逢幽隱處，似遇獨醒人。」王維有首詩說：「行到水窮處，坐看雲起時。」他還說：「明月松間照，清泉石上流。」皎然也有這樣的詩句：「少時不見山，便覺無奇趣。」現在每次吟誦這樣的詩句，就會將我的閑適的思緒開啓，讓我浮想聯翩。

經

《詩經》

「關關雎鳩，在河之洲，窈窕淑女，君子好逑」描繪了人世間最真摯的愛情；「碩鼠碩鼠，無食我黍」表達了對不勞而獲的剝削者最深刻的厭惡；「知我者謂我心憂，不知我者謂我何求」抒發了對國家興亡最深切的憂慮。這些我們耳熟能詳的詩句，都出自《詩經》。《詩經》位居儒家「五經」之列，其文學價值是無需多言的。作爲中國史上第一部詩歌總集，它的内容極爲宏大豐富，刻畫了淳樸的風俗，讚揚了英勇的戰士，歌頌了神聖的祖先，記述了真實的歷史。這裏有懇切的批評，又有委婉的諷喻；有樸實的話語，又有華美的辭章；有直率的表達，又有微妙的思緒。孔子說：「不學《詩》，無以言」，這些璀璨的詩句依然是中國人今天抒發情感時無法超越的形式，它們朗朗上口、雋永豐沛。在幾千年後的今天，讓我們依舊能與華夏先民呼吸相聞，感受一種跨越千年的浪漫。「腹有《詩》《書》氣自華」，衹有讀了《詩經》，才知道什麼是文明而化。

《周易》

《周易》可以說是中國古老經典中的經典，它的作者據說是周文王姬昌，其在伏羲八卦基礎上推演而成，後來又經過孔子的修訂，直到現在，已有三千多年的歷史。很多人都認爲《周易》是一部用來占卜算命的書，這確實僅是它的功能之一，在生產力落後的前科學時代，它相當於一個簡單的搜索引擎，凡有疑難之事，都可以通過《周易》的指引，找到解決的辦法。但是，到了科學昌明的今天，《周易》的義理依然不朽，衹是其占卜算命功能已經大大地被弱化。它真正吸引人們的是它對歷史、民俗、文學、哲學、政治、中醫藥學等各個領域的兼容與覆蓋，可以說，《周易》通過陰陽、性象的變化來闡述生命的學問、宇宙的真理、智慧的源泉、社會的規律，用卦爻符號和爻辭，構成了一個神秘的文化殿堂，描述了中華古人對於宇宙奧秘和生命密碼的獨特認識，這也是我們今天讀《周易》的意義所在，它能夠讓我們透過紛繁複雜的表面，直接看透背後的本質。

《論語》

假設孔子讓班長子路建立一個班級群，把曾子、顏淵、子夏、子貢等人都拉進去，大家不但可以在群裏直接討論問題，還可以在彼此的朋友圈互相評論。於是有人選取了聽課中最有用、有趣、有意義的內容，整理成一本書，就叫《論語》。孔子感嘆「沒人瞭解我」，卻告訴學生「別怕沒人瞭解你，只怕自己沒本事」。他的一生是充滿失意和詩意的，他的思想主張不被當世爲政者所接受，但他「一以貫之」「不怨天，不尤人」「下學而上達」，以文化傳承爲使命，開私學之先河，創立了儒家學派。孔子自稱「述而不作」，只講課不創作，他編的六種教科書，主要材料也來自古代文獻，被稱爲「六經」。所以，記錄孔子言行的《論語》，反倒保存了原汁原味的孔子學說。《論語》中的孔子，不衹是莊嚴的至聖先師，更是一個有喜怒哀樂情感的教書先生。他會誇勤奮、聰明的學生，會罵懶惰、頑固的弟子，高興了會唱歌，傷心了會哭泣。閱讀《論語》，可以從中獲得思想的啓迪、人格的提升、情感的激勵，以及文學的享受，它是每一位中國人的必讀之書。

《孟子》

說起儒家思想，必定繞不開「孔孟之道」。這裏的「孟」，就是被尊爲「亞聖」的孟子。與一般「溫良恭儉讓」的儒生形象不同，孟子留給人們的印象更多是剛毅、自信和執著，這些特質在他和弟子所著的《孟子》中都得到了展現。《孟子》在南宋後被作爲「四書」之一。讀起來很好玩，因爲里面大部分都是小故事、小對話，而書中孟子的形象也非常鮮明、立體，就像是生活在我們身邊的一位倔強、驕傲而善辯的小老頭。很多時候，他會玩兒一些「套路」，讓談話對象掉入自己事先挖好的「坑」裏，最後逼得對方衹能「顧左右而言他」，他還會通過裝病來表達自己的不滿，就像個跟人賭氣的孩子一樣。當然，我們讀《孟子》的意義絕對不止於此，它之所以過了兩千多年仍被奉爲經典，是因爲孟子對「修身、齊家、治國、平天下」進行了透徹的闡述，讓我們在讀過之後能夠擁有強大的內心，能夠有所爲有所不爲，能夠有所捨有所得，這不僅對每個人的生活和工作有著重要的指導意義，對於我們弘揚優秀傳統文化、實現國家的文化自信也大有裨益。

《山海經》

有一種草可以治療抑鬱，有一種魚吃了就不再畏懼打雷，有一種樹見到就不會迷路，有一種獸甚至可以吃掉龍，它們都是什麼呢？這是一部記載了「五方之山」「八方之海」「珍寶奇物」的古代實用地理書。該書刻畫了「鯀禹治水」「女媧造人」「夸父逐日」的神話故事，也有對於顓頊和黃帝的很多記述，被稱爲「古之語怪之祖」。在魯迅筆下，這是阿長心心念念送他的禮物，其中包含上古時期的地理、歷史、神話、天文、動物、植物、醫學、宗教以及人類學、民族學、海洋學和科技史等知識。在紀曉嵐編纂的《四庫全書總目提要》中，它是地理書的首要，還被稱之爲最古的小説。它甚至是一些誌怪和盜墓小説中怪事、怪物的總來源、總發端，「紅毛犼」「錦鱗蚺」甚至「痋術」等，已經是年輕人熟悉的神獸。這就是《山海經》，一部誕生於遠古時期、極富想象力的驚世駭俗之作。它的奇詭玄妙，使今天的年輕人腦洞大開，啟發人們體悟天、地、人、神、獸、怪的無窮奧秘。讀《山海經》，去探尋遠古時期影響思想觀念的洪荒之力，去求索華夏五千年文明的初心與神秘。

《史記精華》

《留侯世家》記載，破落貴族張良偶遇圯橋老人，得到《太公兵法》，學成後輔佐劉邦，「爲王者師」。他與衆將談論《太公兵法》，沒人聽得懂；劉邦聽了，卻能善用其策。張良説：「大概沛公是上天授命之人啊！」《史記》既是史書，又是一部政論集。政論家寫文章大多引經據典，司馬遷著《史記》是用更完備的史料論證自己的觀點。所以説司馬遷的偉大，不衹是記載了黃帝至漢初的歷史，而是在於他「究天人之際，通古今之變，成一家之言」。這「一家之言」，説的就是他的人生觀、歷史觀、宇宙觀。他信命而不認命，自強不息，具有悲天憫人的情懷。所以他借「圯橋進履」的傳説，證明劉邦是真命天子，卻又敢於對劉邦等得天命者犯下的錯誤提出批評，對懷才不遇、蒙受冤屈的人則報以同情。《史記》全書一百三十篇，五十二萬餘字，《史記精華》從中擷萃名篇，既不辜負太史公的良苦用心，又能讓今人感受輕鬆愉悦的閱讀體驗，從歷史的興亡中體悟天道與人事，品味「無韻之離騷」。

《資治通鑒精華》

孟子說：「孔子成《春秋》而亂臣賊子懼。」《春秋》大義，被歷代史家奉爲法則。唐末五代，藩鎮割據，天下大亂，人心不安。在那個兵強馬壯者就能當皇帝的時代，誰會在乎倫理與秩序？整個社會都迷失了方向。北宋建立後，結束了國家分裂的局面，人心思定，所以史家想要借《春秋》大義重建社會價值體系。先有歐陽修的《新五代史》，後有司馬光的《資治通鑒》。一部《資治通鑒》，二百九十四卷，三百多萬字，以編年體的形式展現了戰國至五代時期一千三百餘年的歷史。若你無暇通讀全書，又想有所涉獵，卻無從下手，《資治通鑒精華》就是爲你指點迷津、得以一窺這部史學巨著之端倪的捷徑。因爲本書所選篇目緊扣原典的主旨，以治亂興衰爲借鑒，以大義名分爲原則，涵蓋了歷代的主要大事件。在這個日新月異、信息爆炸的變革時代，你有沒有迷失方向？不妨嘗試從歷史中探尋安身立命之道。閱讀本書，上可以參悟人生、明白得失，中可以洞悉人心、增長閱歷，下可以充實學識、增加談資。

子

《六韜·三略》

很多人一提起「兵法」，首先想到的往往是《孫子兵法》《三十六計》，卻不知道《六韜·三略》絲毫不遜於前兩者。嚴格說來，《六韜》《三略》是兩本書。《六韜》作者是被譽爲「兵家之祖」的呂尚，也就是大名鼎鼎的姜子牙。《三略》的作者則是「張良拾履」故事裏的那位神秘老人黃石公。自古以來，《六韜·三略》就被譽爲「兵家權謀之祖」，姜子牙靠它輔佐武王興周滅紂，張亮靠它幫助劉邦定咸陽、滅項羽，建立西漢王朝。有人說《六韜·三略》這樣的兵法只適合在古代使用，這是大錯特錯的。因爲即使到了今天，也仍然有很多企業管理者把《六韜·三略》奉爲經典，並將它用於商業競爭、企業管理。雖然這是一本兵書，但它卻可以讓人擁有細緻的邏輯思維能力，學會如何從全局進行運籌和謀劃，學會如何鑒別和使用人才。就算是普通人，也可以在讀通《六韜·三略》之後，在自己的生活和工作中找準方向，實現最大的價值。

《孫子兵法》

在中外歷史上，有多少戰績輝煌的名將，隨著時間的推移，全都逐漸被遺忘了，但被稱為「東方兵學鼻祖」的孫子以及他的《孫子兵法》，不僅沒有被忘卻，反而越發引起了人們的重視和崇敬。

《孫子兵法》自誕生至今已有兩千多年，在古代，它被廣泛地應用於戰爭，包括戰略戰術的製定、情報的搜集、戰區的選擇、攻防的轉換、作戰時機的選擇等；到了以「和平」為主旋律的今天，全世界範圍內，《孫子兵法》都產生了極為重要和廣泛的影響力。除了繼續在軍事、政治、外交等方面發揮重要作用和影響之外，《孫子兵法》還廣泛用於經濟、教育、商業、體育等各個領域，哈佛大學商學院甚至要求學生記誦《孫子兵法》的某些章節，以備日後經商之用。對我們普通人而言，通過《孫子兵法》來瞭解孫子的軍事思想，然後將其靈活轉化、應用，也足以給我們的學習、工作、生活帶來巨大的幫助。

《道德經》

春秋末年，天下戰爭頻仍，周朝守藏室之史老子棄官歸隱，騎青牛來到函谷關。官令尹喜求其寫下五千言，隨後西行，不知所蹤。《道德經》含有深刻的東方哲學思想，至今仍是人們認知宇宙與人生的經典，也被稱為「玄而又玄」的學問。老子並非首倡尋找萬物總規律的人，從伏羲氏就認為宇宙的一切總有一個根源，他沒有辦法用文字來說明，所以一畫開天，叫做「象」。那麼，把握規律就稱為「執象」。由於執象依然有迷茫，於是才有老子破象而立道。但是，「道」究竟是什麼？老子說：「道可道，非常道」。他認為衹有「致虛極，守靜篤」，「清靜無為」才能顛覆性地掌握變化中的規律。現在人類的物質文明已獲得了高度發展，但是人類並沒有獲得幸福感，人類執迷於「有」，一再忽視老子的提醒「有生於無」。《道德經》於今人依然是最為實用的經典，它可以重新梳理外在所有因素的趨勢，可以重新建立整體行動的框架，可以從身體的修真來鏈接萬物，由此來突圍今天人類的多重困境。

《鬼谷子》

他隱於世外，卻操縱天下格局；他的弟子出將入相，左右著列國的存亡，推動著歷史的走向。這個人因此被尊爲「謀聖」，他就是鬼谷子。鬼谷子其人，神秘莫測，關於他的身世，眾說紛紜。相傳他隱居在雲夢山鬼谷，所以自稱鬼谷先生。他門下弟子孫臏、龐涓，都是用兵打仗的能手；另外兩個弟子蘇秦、張儀，憑三寸之舌推行合縱連横之術，收到的奇效抵得上千軍萬馬。這樣的奇人留下的一本奇書——《鬼谷子》。該書原文衹有五千多字，卻是縱横家流傳至今爲數不多的代表著作之一，論述縱横捭闔的秘訣。比如其中「欲取先予」的處世哲學，擴散開來就包含了很多個維度：從戰場上臨強示弱、扮豬喫老虎，到營銷上滿減贈送的優惠項目，再到投資領域的賭徒心理，都跟這四個字分不開。如果衹是把《鬼谷子》當成運用謀略、揣摩人心的教科書，就低估了其價值。書中還包括軍事、政治方面的知識，甚至還有養生的學問。《鬼谷子》包羅萬象，是先秦諸子學中的一顆璀璨明星。

《莊子》

莊子貌似窮困潦倒，但是他卻因精神超拔而早已名聲在外。楚威王曾派人來聘請他做官，只見他正坐在河邊悠然垂釣。莊子卻指著水裏搖著尾巴游泳的烏龜，對使者說：「與其做一隻被宰殺後供奉起來的神龜，不如像它一樣自由自在。」莊子是戰國時期道家學派的代表人物，繼承了老子「無爲」的哲學思想，並且在宇宙觀、社會德用和養生氣論上均有推進。他所認爲的自由，是無所憑依的，是順其自然的。正如鯤鵬變化，扶摇直上九萬里，這才是逍遥的境界。莊子又借小蟲、小鳥之口嘲笑大鵬，反映了淺陋之人難以領悟大道的真諦。然而大鵬畢竟要禦風而行，相比之下，無所憑依的風才是絶對自由的象徵。在別人眼中，窮困潦倒是苦，莊子卻以不受名利的牽累爲樂。如果我們在工作和生活中遇到了一時過不去的坎兒，不妨用《莊子》化解内心的睏頓與焦慮，用「忘我」乃至「無我」的大智慧，用遨游天際的視野，面對現實的世界。

《世說新語》

年輕人必定向往「惟大英雄能本色，是真名士自風流」的生活，所以他們不會錯過一本被魯迅先生稱爲「名士教科書」，被今人叫作「名人酷生活實錄」的精選集。這本書記載了東漢末年到魏晉期間一批名士的言行。何爲名士？泛指知名人士，特指恃才自傲、不拘小節的牛人。因爲學者們的集體喜愛，特向國家教育管理機構推薦該書，進入中小學生的必讀書目。它就是《世說新語》。

沉浸書中，我們將置身於一個比現在更重視「顔值」的時代，領略魏晉名士們如何「一生不羈放縱愛自由」；嵇康、阮籍、劉伶們敏捷的才思、優雅的舉止、曠達的胸懷，甚至種種狂放怪異的言行，無不彰顯著自然率真的性情，彰顯著處於青年時代的中華文明那昂揚湧動著的生命力。我們可以品味到它的語言之美、生活之美、哲思之美，更能夠從中找尋到自己內心未被喚醒的詩意與對現實的超越。

《千字文》

《千字文》是一篇奇文，其問世充滿了傳奇色彩。梁武帝喜歡王羲之的書法，就命人從王羲之的真跡中找出一千個不同的字來教子孫識字、練字，卻因雜亂難記，而沒有取得太好的效果。梁武帝就找來員外散騎侍郎周興嗣，讓他將這些字編成一篇通俗易懂的文章。周興嗣花了一整夜時間，編撰出一篇條理清晰、引經據典的韻文，不但文采超然，而且上至天文，下及地理，中曉人和，將各種知識熔爲一爐，實爲一部生動的小百科全書。周興嗣也因用腦過度，導致一夜之間鬚髮皆白。由於漢字簡化、異體字合併，所以現在《千字文》並不是一千個不同的漢字了。儘管如此，也無損其文采。作爲傳統啓蒙讀物，《千字文》的影響力延續至今。胡適從五歲開始念「天地玄黃，宇宙洪荒」，直到他當了十年教授，還在回味這兩句話，可見《千字文》義理之妙。我們可以從中感悟中國古老的宇宙觀，體會古人修身的規範和原則，讚歎燦爛的歷史文明，在恬淡的心境中安然自處。

《百家姓》

說起姓氏，人們熟悉的是成書於北宋初年的《百家姓》，它是我國流行時間最長、應用範圍最廣的蒙學教材之一，與《三字經》《千字文》併稱爲「三百千」。雖然《百家姓》的內容沒有文理，但讀起來朗朗上口，易學易記，可以讓孩子認識漢字，也可以指導孩子們的日常生活，建立好的生活習慣。慎終追遠，姓氏可以讓孩子們瞭解祖先的血脈延續，積累和傳承家族文化。從遺傳基因學上形成華夏民族的血脈相連與共同認知。光宗耀祖，詩書繼世，是中國農耕社會的優良傳統。姓氏文化在中國五千年多年的文明史中擔當重任，戰國時期的《世本》，較早地記載了從黃帝到春秋時期天子、諸侯、大夫的姓氏、世系、居邑，但是這本書到宋朝就失傳了。總之，要想瞭解中國源遠流長的姓氏文化，《百家姓》是一本必備的簡易入門書籍。「書香傳家」系列的《百家姓》，不但介紹了每個姓氏的由來，還列舉了各個姓氏的名人，兼具知識性與趣味性。

《容齋隨筆》

上過學的人都知道筆記的重要性，然而老師講的課是一樣的，學生的筆記卻各不相同。現在學霸的筆記備受推崇，因爲展現了他們卓越的學習方法和對知識的思考。古代文人記筆記的習慣由來已久，魏晉南北朝就有常璩的《華陽國志》、干寶的《搜神記》、劉義慶的《世說新語》等名作，這些筆記小說大多是見聞隨筆，或從書中摘錄片段的合集。唐宋以後，歷史掌故、辯證考據類的筆記多了起來。《容齋隨筆》爲南宋大才子洪邁（號容齋）耗時四十年整理而成，一共分爲五部分，有七十四卷，含一千二百多則，歷史掌故、典章制度、社會風俗、天文曆算、文學藝術，無不涵蓋，特別是歷史人物、歷史事件相關的內容，考證十分詳實，議論頗有見地，還糾正了不少經史中的錯誤，是宋人筆記中內容最豐富、學術價值最高的一部。《容齋隨筆》是一本國學百科全書，當成學霸的筆記來讀也未嘗不可，一方面可以增長見聞，一方面可以領悟讀書的方法，並以此爲博覽經史原典的敲門磚。據史料記載，偉人毛澤東生前非常喜愛閱讀此書，直至離世前仍由工作人員爲其閱讀該書部分內容。

《三字經》

在中國傳統的啓蒙書籍中，《三字經》必然是最經典的一部，幾乎人人都熟悉開頭那兩句——人之初，性本善。這三字一句的形式，很具備兒歌的特點，易於誦讀和記憶。《三字經》雖短卻精，且內容十分豐富，將歷史、天文、地理、道德等方面的知識和大量典故融彙串連在一起，堪稱是一部極簡版的中國文化「小百科全書」，因此有「熟讀《三字經》，可知千古事」的說法。《三字經》從誕生之日起就大受歡迎，廣爲流傳，與《百家姓》《千字文》併稱中國傳統蒙學三大讀物。讀《三字經》可以發現，書中不但歸納總結了許多古代的文化常識，還告訴人們應當勤學好問、尊師重道、謙恭禮讓等人生的道理，體現了積極向上的精神，雖已暢行千百年，卻歷久彌新，在當今時代仍然具備知識性和實用性的國學入門的作用，可以給人們以簡易的知識和正向的力量。

《傳習錄》

曾有人給出過這樣的評價，中華上下五千年，能「立德、立功、立言」三不朽的聖人，衹有兩個半：孔子、王陽明，曾國藩只算半個。孔子，至聖先師，無人不知；曾國藩，湘軍首領，中興名臣。而王陽明，最讓人熟悉的莫過於「知行合一」「心外無物」的「陽明心學」了。想要瞭解孔子，可以讀《論語》；想要瞭解曾國藩，可以讀《曾國藩家書》；想要瞭解王陽明，自然要讀《傳習錄》。《傳習錄》之名取自《論語》中曾子的話：「吾日三省吾身，爲人謀而不忠乎？與朋友交而不信乎？傳不習乎？」由此可見，想要讀懂《傳習錄》，需要具備一定的儒學經典的基礎。作爲儒家作品，《傳習錄》的核心自然也是明德至善，知行一體。而王陽明所提出的「知行合一」則是強調了要知善同時行動，即理論與實際的踐行。因此，讀《傳習錄》，能夠得到的最大收穫就是在日常的工作生活裏，摒棄外界的干擾，修養自己的良知，做到問心無愧，持之以恒。曾經做過三家世界五百強CEO的日本企業家稻盛和夫，就將陽明心學內化爲企業經營之道。

《了凡四訓》

命運是一個很神奇的東西。有的人認爲「命由天定」，但也有人堅信「我命由我不由天」。明朝學者袁了凡十七歲時因爲一位算命先生的話而深陷「宿命論」，直到三十七歲時在雲谷禪師的開導下醍醐灌頂、頓悟至理，確定了「命由我作，福自己求」的立命之道，此後數十年，袁了凡堅持行善、積極進取，最終「逆天改命」。「父母之愛子，則爲之計深遠」的舐犢之情，晚年的袁了凡有感於自己一生的經歷，給兒子寫下了《了凡四訓》，全書通過立命之學、改過之法、積善之方、謙德之效四個部分，講述了如何依靠後天努力來「修福改命」。晚清名臣曾國藩對《了凡四訓》極爲推崇，他讀過之後給自己改號爲「滌生」，並説：「滌者，取滌其舊染之污也；生者，取明袁了凡之言，『從前種種，譬如昨日死；從後種種，譬如今日生也。』」讀《了凡四訓》，讓你領悟命運眞相，明辨善惡標準，堪稱人生必讀的智慧之書。

《紅樓夢圖詠》

相信讀過《紅樓夢》的人，一定都會被書中那些性格鮮明、栩栩如生的人物所打動，甚至對他們傾注或愛或憎的情感，大有恨不相識的遺憾。或許你會想，這些人物應該是怎樣的形象，比如什麼是「似蹙非蹙罥煙眉」，怎樣算「似喜非喜含情目」，「唇不點而紅，眉不畫而翠」會是什麼樣的美。那麼，有沒有人根據原著的描寫，捕捉人物的特點從而描繪出他們具體的形象呢？當然，爲《紅樓夢》創作的繪畫作品其實有很多，其中的《紅樓夢圖詠》是紅樓繪畫史上水平較高、名氣也較大的一部。這是一部木版畫集，共繪製了通靈寶玉、絳珠仙草、警幻仙子、寶玉、黛玉、寶釵、元春、探春、湘雲、妙玉、王熙鳳等共約五十幅插圖，以高超的版畫技藝，展現出畫作者改琦作品的神韻，所繪形象傳神，線條流暢。如其中黛玉一幅，便以弱不禁風的身姿，刻畫出人物「閑靜時如姣花照水，行動處似弱柳扶風」的氣質。

《芥子園畫譜精品集》

顧愷之、吳道子、張擇端、唐伯虎、齊白石等畫壇巨匠，留下了大量傳世名作。他們無不技藝精湛，卻也都是從零基礎開始學習的。每個人的學習途徑或許不同，如果有一套人人都能看懂的簡明教程，國畫技藝就會更容易讓普通人掌握。比如齊白石大師，原本是雕花木匠，二十歲那年在顧主家無意間看到一本叫《芥子園畫譜》的書，覺得書中循序漸進的講解非常實用，讀過一遍就對繪畫有了一定的理解。所以，即使説白石老人的繪畫藝術之路最初起步於此書，也並不爲過。此外，任伯年、黃賓虹、傅抱石等繪畫大家也曾用心研習此書。「芥子園」是清初名士李漁（號笠翁）在金陵的別墅，《芥子園畫譜》最初就是在李漁的主持下，由王概、王蓍、王臬三兄弟編繪而成的。本書具有完備的體例，對用筆、寫形、佈局等繪畫的基礎技法做了詳盡的講解和展示，解析了歷代名家的特點，匯集了前人的畫論精華，從問世至今，一直是學習國畫的必修教材。

《中國京劇經典臉譜》

「臉譜化」這個詞，現在一般用來批評藝術作品塑造人物簡單化和概念化。然而與此相反，這恰是「臉譜」這一藝術形式的優點，使其能夠貼合傳統戲曲的表現方式。臉譜，是中國戲曲中特有的化妝藝術，通過按照一定譜式勾畫出的圖案造型來突出角色的性格、身份、年齡、品質等特徵，已形成一些相對固定的代表性顏色，如紅色的代表忠勇、正直；黑色的代表勇猛、直爽；白色的代表奸詐、狠毒；藍色的代表剛強，驍勇；黃色的代表凶暴、沉著，這與歌曲《說唱臉譜》的詞很一致：「藍臉的竇爾敦盜御馬，紅臉的關公戰長沙，

黃臉的典韋、白臉的曹操，黑臉的張飛叫喳喳。」因此，臉譜具有「辨忠奸、寓褒貶、別善惡」的功能。《中國京劇經典臉譜》一書收錄的臉譜作品，是在漫長的歲月中逐漸演變、完善進而固定的藝術形象，每一幅都構圖精巧，色彩絢麗，筆法細膩，是不可多得的藝術珍品。

創作者孫世良先生是中國著名京劇劇作家、京劇臉譜藝術家翁偶虹先生的再傳弟子，北京市非物質文化遺產傳承人，就職於國家京劇院藝術中心，爲專業京劇臉譜畫家。

集

《楚辭》

《楚辭》的語言文字可以美到什麼程度？光是書中「茂行」「陸離」「微歌」「嘉月」這類典雅的人名，就足已令人驚艷了。《楚辭》的夢幻世界可以有多浪漫？有青衣白裳、箭指西北的東君，他是掌管太陽的神；還有與日月齊光的雲中君，他是飄渺的雲神。眾神都有人的情感，或泛舟江上，或歡聚宴飲，或幽怨哀傷。楚辭的產生，離不開楚國從「荊蠻」發展到「楚霸」的歷史條

件，長江流域的巫覡文化，與中原地區的禮樂文化相交融，就有了生機勃勃的楚文化。《楚辭》是中國文學史上第一部浪漫主義的詩歌總集，獨創一體，別具一格。全書以屈原的辭賦爲主，其餘各篇承襲屈原作品的形式，運用楚地的文學樣式、方言聲韻，故名《楚辭》。梁啟超說：「吾以爲凡爲中國人者，須獲有欣賞《楚辭》之能力，乃爲不虛生此國。」《楚辭》展現了以屈原爲代表的愛國精神、豪邁氣魄和浪漫情懷，因此熟讀《楚辭》，能培養書生狹氣，能讓我們一生受益。

《唐詩三百首》

璀璨大唐三百年，最具代表性的事物是什麼？是天可汗唐太宗李世民？是中華文明的巔峰開元盛世？還是一代女皇武則天？都不是，最能代表璀璨大唐的事物就是唐詩。在唐詩中你能感受到大唐盛世兼容並包的絕代風華，那裏有王勃從容浩蕩的英氣，有李白綉口吐出的巍峨之氣，有李賀苦吟的不羈之氣。在唐詩中你能領略到大唐的厚重，大唐的筋骨，那裏有杜甫的低沉恢弘之氣，有樂天自在的千百鮮明之氣，有邊塞狂歌的狷狂凜冽之氣。聞一多先生認爲：「一般人愛說唐詩，我卻要講『詩唐』，『詩唐』者，詩的唐朝也，懂得了詩的唐朝，才能欣賞唐朝的詩。」在唐詩中感受大唐，以詩教來熏習和浸染，觸摸到文化的江山，讓胸懷變得更寬廣更博大。不讀唐詩，無法面對優秀的古人，不知道東方情感之由來，亦不能精準表達自己的情感。

《宋詞三百首》

形成於唐，盛極於宋，前與唐詩爭奇，後與元曲鬥艷，是宋代文學最有代表性的成就，這種文體就是「宋詞」。可以說，有一定文化基礎的中國人都知道宋詞，也都可以不經意間脫口而出一二佳篇名句。如充滿豪情時，可以說「想當年，金戈鐵馬，氣吞萬里如虎」；心懷憂愁時，可以說「這次第，怎一個愁字了得」；陷入相思時，可以說「酒入愁腸，化作相思淚」。似乎每一種情緒，在宋詞中都已經有了完美的表達。如何更好地領略宋詞的精彩？《全宋詞》中收錄了一千三百餘位詞人的作品近兩萬餘首。顯然，通讀這麼多的作品並不現實，那麼優秀的選本便會大受歡迎。《宋詞三百首》就是這樣的選本。三百首不多，可以很快通讀；三百首不少，可以兼收各個時期、各個派別的眾多名家名作。這本《宋詞三百首》，囊括宋詞精華，讀後可以感悟宋詞之美，並初步瞭解宋詞的概況；所選皆爲名篇，便於背誦，有助於古典文學修養的提高，使自己不論言談還是寫作都更有氣質。

《唐宋八大家集》

提起「唐宋八大家」，很多人會問：「爲什麼沒有李白、杜甫、白居易？爲什麼沒有柳永、陸游、辛棄疾？」因爲這八個人代表了唐宋時期散文的最高水準，而非詩詞。我們都知道，唐朝是詩歌的黃金年代，而沒有體裁和題材方面的創新，就不會湧現出那麼多不朽的傑作。白居易提出「文章合爲時而著，歌詩合爲事而作」的口號，倡導「新樂府運動」。與之相呼應的正是韓愈、柳宗元倡導的「古文運動」，他們同樣強調寫文章要言之有物。「言之有物」看似容易，我們上學時，語文老師講作文的時候就一再強調這一點，可是文筆不好就詞不達意，文筆太好又總是變著法地運用修辭、引用典故、堆砌辭藻，顧此失彼，文章難免會「金玉其外，敗絮其中」。「唐宋八大家」的文章，推崇先秦諸子和《史記》《漢書》，一掃六朝辭賦的艷俗與空洞，沖破四六駢偶的程式和窠臼，文章形式雖然復古，但是內容推陳出新，很接地氣，是老百姓讀得懂的古文，完美展現了中華文化的「文質彬彬」。這八位文曲星就是：韓愈、柳宗元、歐陽修、王安石、蘇洵、蘇軾、蘇轍、曾鞏，他們都有驚天地、泣鬼神的千古文章傳世。

《小窗幽記》

互聯時代來臨，世人莫不在加快節奏追逐社會步伐，關於生活的本真、人生的目的，人們實在難以顧及。有一部書，用它雋永的文思，淡雅的文字，指引你爲人處世，開導你在平淡中領略人生，它就是《小窗幽記》。「花繁柳密處，撥得開，才是手段；風狂雨急時，立得定，方見脚根」這是勸誡成功者的良藥；「情最難久，故多情人必至寡情。性自有常，故任性人終不失性」這是冷靜處事的心思。「興來醉倒落花前，天地即爲衾枕；機息忘懷磐石上，古今盡屬蜉蝣」這是過來人燈火闌珊處的迴眸。明代陳繼儒以其豐富的經歷、遠博的思想、高峻的修養撰得《小窗幽記》這部奇書，將修身、立德、爲學、致仕、立業、治家、養生的全部智慧和原則融入此書，文字跳脫愜意，格調超拔，以小喻大，充滿了諧趣與真知。面對人生，作者給出的答案還將久久的流傳下去，那就是「時光，濃淡相宜，人心，遠近相安。流年，長短皆逝。浮生，往來皆客。」

《納蘭詞》

他是文武俱佳的翩翩公子，他是康熙皇帝御下一等侍衛，他是才華橫溢的傷心詞人。他，就是「清詞三大家」之一的納蘭性德。納蘭文武兼修，十七歲入國子監，十八歲考中舉人，二十二歲康熙賜進士出身。深受康熙帝賞識，多隨駕出巡。三十一歲英年早逝。納蘭性德二十四歲時將詞作編選成集，名爲《側帽集》，又著《飲水詞》。後人將兩部詞集增遺補缺，共三百四十九首，合爲《納蘭詞》。「今古河山無定據。畫角聲中，牧馬頻來去」是對山河流逝的慨嘆；「山一程，水一程，身向榆關那畔行，夜深千帳燈」是長途行軍中軍士的苦悶；「被酒莫驚春睡重，賭書消得潑茶香，當時只道是尋常」是失去妻子的丈夫回憶與亡妻昔日美好的酸楚；「西風多少恨，吹不散眉彎」展現的是深情男子的無盡哀思。

儘管清詞成就比不上宋詞，但也在文學史上留下了自己獨特的印記。清詞代表《納蘭詞》，不僅在清代詞壇享有很高的聲譽，而且在中國文學史上也佔有光彩奪目的一席。翻開《納蘭詞》，走近這位傳奇男子的一生，去體味，去發現，清詞怎一個「真」字了得。

《曾國藩家書》

有學者説：「五百年來，能把學問在事業上表現出來的，衹有兩人：一爲明朝的王守仁，一則清朝的曾國藩。」曾國藩作爲集政治家、戰略家、理學家、文學家、書法家等於一身的晚清名臣，因官居高位而無暇著書立説。不過，他寫給家人的大量家書，就成爲瞭解曾國藩的第一手資料，同時也是瞭解清末社會狀況的寶貴史料。家書，即家人之間來往的書信。在古代，家書是離家在外的人與家中親人的主要聯係方式之一。家書可簡可繁，可以只表達思念及關切之情，也可以暢敘經歷及感觸，通常都很真實，沒有虛假客套。《曾國藩家書》中收錄了曾國藩寫給祖父、父母、叔父、兄弟、子女等不同人的書信，其政治理念、治軍思想、治學修身、治家教子、處世交友等也都在其中得到了充分的體現。這些內容使這部《曾國藩家書》除了具備史料價值，還是一部生活處世的實用寶典，對我們的日常生活也有可資借鑒的意義和價值。

《人間詞話》

「最是人間留不住，朱顏辭鏡花辭樹。」作爲民國時期最爲著名的國學大師之一，能夠寫出這樣優美的詞句，對王國維來說實在不算稀奇；相較於他的詞作，《人間詞話》才是真正讓他在廣大文藝青年心中「封神」的傑作。就算是沒有看過《人間詞話》的人，也能隨口說出「古今之成大事業、大學問者，必經過三種之境界」。作爲中國文藝理論里程碑式的作品，《人間詞話》首次將西方美學思想融入到中國古典詩詞的點評中，你能想象，這樣一本薄薄的小冊子竟然蘊含著康德、叔本華的整套美學體系？更爲重要的是，在這本書中，王國維融會貫通，提出並建立了獨特的文藝理論體系，並成功勾起了廣大文藝愛好者們對於古典詩詞的興趣，很多人就是從這本書開始，成爲文學家、學者和文藝批評家的。如果你也對古典文學特別是古典詩詞感興趣，那麼一定要讀一讀這本《人間詞話》。

圖書在版編目（CIP）數據

小窗幽記 /（明）陳繼儒著 ；崇賢書院釋譯. -- 北京 ：北京聯合出版公司，2015.8（2022.3重印）
（書香傳家 / 李克主編）
ISBN 978-7-5502-5749-8

Ⅰ. ①小… Ⅱ. ①陳… ②崇… Ⅲ. ①人生哲學－中國－明代②《小窗幽記》－注釋③《小窗幽記》－譯文 Ⅳ. ①B825-49

中國版本圖書館CIP數據核字(2015)第164715號

ISBN 978-7-5502-5749-8

崇賢館微信

書名	小窗幽記
著作者	（明）陳繼儒 著 崇賢書院 釋譯
出品人	趙紅仕
責任編輯	李 徵
出版發行	北京聯合出版公司
地址	北京市西城區德外大街83號樓9層 郵編：100088
策劃經銷	近道堂
印刷	吴橋金鼎古籍印刷廠
字數	一百三十七千字
開本	宣紙八開
印張	二十一點五
版次	二〇一五年八月第一版 二〇二二年三月第四次印刷
標準書號	ISBN 978-7-5502-5749-8
定價	肆佰捌拾圓整（一函兩册）